CE QUI RESTE
D'AUSCHWITZ

GIORGIO AGAMBEN

CE QUI RESTE D'AUSCHWITZ

L'archive et le témoin

Homo Sacer III

*traduit de l'italien
par Pierre Alferi*

BIBLIOTHÈQUE RIVAGES

Titre original : *Quel che resta di Auschwitz*
© 1998, Giorgio Agamben
© 1999, Éditions Payot & Rivages
pour la traduction française
106, boulevard Saint-Germain – 75006 Paris
ISBN : 2-7436-0475-1

Bianca Casalini Agamben *in memoriam*
« Être à la portée de tout signifie être capable de tout »

À Andrea, à Daniel et à Guido, qui, en discutant avec moi ces pages, leur ont permis de voir le jour.

AVERTISSEMENT

Grâce à une série de recherches toujours plus amples et rigoureuses, où le livre de Hilberg tient une place particulière, la question des circonstances historiques (matérielles, techniques, bureaucratiques, juridiques...) dans lesquelles fut mise en œuvre l'extermination des juifs est suffisamment éclaircie. Des recherches ultérieures jetteront peut-être une lumière nouvelle sur tel aspect particulier, mais l'on peut désormais considérer le tableau d'ensemble comme acquis.

On ne peut en dire autant de la signification éthique et politique de l'extermination, ni même de la compréhension humaine de l'événement – c'est-à-dire, en dernière analyse, de son actualité. Non seulement il nous manque ici quelque chose comme une tentative de compréhension globale, mais même le sens, les raisons du comportement des bourreaux, des victimes, et souvent jusqu'à leurs propos apparaissent toujours comme une énigme insondable, confortant dans leur opinion ceux qui voudraient qu'Auschwitz demeure à jamais incompréhensible.

Du point de vue historique, nous savons par exemple, jusque dans les moindres détails, comment à Auschwitz s'accomplissait la phase finale de l'extermination, comment les déportés étaient conduits dans les chambres à gaz par une équipe composée de leurs propres camarades (baptisée *Sonderkommando*), qui se chargeait ensuite d'en extraire les cadavres, de les laver, de récupérer les dents en or et les cheveux, pour les introduire enfin dans les fours crématoires. Et pourtant ces mêmes faits et gestes, que l'on peut décrire et ranger l'un derrière l'autre dans le temps, demeurent singulièrement opaques si l'on s'efforce de les comprendre vraiment. Personne, sans doute, n'a exposé de façon plus directe ce décalage et ce malaise que Zelman Lewental, un membre du *Sonderkommando* d'Auschwitz qui confia son témoignage à quelques feuillets enterrés à proximité du crématoire III et exhumés dix-sept ans après la libération du camp.

« Comment exactement, écrit Lewental en yiddish, les choses se sont passées, aucun être humain ne peut l'imaginer, et c'est en fait inimaginable qu'on puisse raconter exactement comment nous avons vécu cette épreuve. [...] Nous – un petit groupe de gens obscurs qui ne donnera pas de fil à retordre aux historiens. »

À l'évidence, il ne s'agit pas seulement de la difficulté ressentie lorsqu'on cherche à communiquer aux autres ses expériences les plus intimes. Le décalage s'inscrit dans la structure même du témoignage. D'une part, en effet, ce qui s'est passé dans les camps apparaît aux rescapés comme la seule chose vraie, comme telle absolument inoubliable ; de l'autre, la vérité, pour cette raison même, est inimaginable, c'est-à-dire irréductible aux éléments réels qui la constituent. Des faits tellement réels que plus rien, en comparaison, n'est vrai ; une réalité telle qu'elle excède nécessairement ses éléments factuels : telle est l'aporie d'Auschwitz. Comme il est écrit sur les feuillets de Lewental : « La vérité entière est beaucoup plus tragique, encore plus terrifiante. » Plus tragique, plus terrifiante que quoi ? Reste que Lewental s'est trompé sur un point. Nul doute que ce « petit groupe de gens obscurs » (et « obscurs » doit ici s'entendre également au sens littéral : invisibles, qu'on ne parvient pas à percevoir) n'a pas fini de donner du fil à retordre aux historiens. Car l'aporie d'Auschwitz est l'aporie même de la connaissance historique : la non-coïncidence des faits et de la vérité, du constat et de la compréhension.

Ceci n'est pas un livre d'histoire, mais une recherche sur l'éthique et le témoignage ; aussi, entre la volonté de comprendre trop et trop vite, et le refus de comprendre, s'attarder sur ce décalage nous a paru la seule voie praticable. À cette difficulté s'en ajoute une autre, propre à qui traite en général de textes littéraires ou philosophiques. Nombre de témoignages – du côté des bourreaux comme des victimes – viennent d'hommes et de femmes ordinaires, les « gens obscurs » étant bien sûr la majorité dans les camps. L'une des leçons d'Auschwitz, c'est qu'il est infiniment plus ardu de comprendre l'esprit d'un homme ordinaire que celui de Spinoza ou de Dante (en ce sens aussi doit s'entendre l'affirmation de Hannah Arendt, si souvent mal comprise, sur la « banalité du mal »).

Le lecteur sera peut-être déçu de ne trouver dans ce livre presque rien de nouveau concernant les témoignages des rescapés. Dans sa forme, il est, pour ainsi dire, une sorte de commentaire perpétuel sur le témoignage. Il nous a semblé impossible de procéder autrement. En outre, parce qu'il est bientôt apparu évident que le témoignage comportait une lacune qui était sa part essentielle, que les rescapés, donc, témoignaient d'une chose dont on ne pouvait témoigner, commenter leur témoignage est revenu à interroger cette lacune – ou plutôt à tenter de l'entendre. Prêter l'oreille à une lacune ne s'est pas avéré, pour l'auteur, une tâche vaine. Elle l'a contraint en premier lieu à dégager le camp de toutes les doctrines qui, après Auschwitz, ont prétendu au titre d'« éthique ». Comme on le verra, presque aucun des principes éthiques que notre temps crut valider ne résiste à l'épreuve suprême, celle d'une *Ethica more Auschwitz demonstrata*. Pour sa part, l'auteur s'estimera payé de sa peine si, en cherchant à identifier le lieu et le sujet du témoignage, il est parvenu ne serait-ce qu'à planter çà et là des balises qui pourraient orienter les futurs cartographes de la terre neuve éthique. Ou encore, s'il a obtenu que certains des termes consignant la leçon cruciale de ce siècle soient corrigés, certains mots bannis, et certains compris autrement. C'est là aussi une façon – et peut-être la seule – d'écouter le non-dit.

Ce jour-là, le reste d'Israël, les rescapés de la maison de Jacob ne vont plus s'appuyer sur celui qui les frappe. Ils s'appuieront sur Adonaï, fidèlement sur le saint d'Israël. Un reste, un reste de Jacob va revenir au dieu fort. Oui, Israël, même si ton peuple est comme le sable de la mer, seul un reste sera sauvé.

Is 10, 20-22.

Et ainsi pour le temps présent, il est un reste, produit selon l'élection de la grâce. [...]

Ainsi tout Israël sera sauvé.

Rm 11, 5-26.

1. Le témoin

1.1

Dans un camp, l'une des raisons de survivre, c'est qu'on peut devenir un témoin.

> « Pour ma part, j'avais pris la ferme résolution de ne pas mourir volontairement quoi qu'il arrive. Je voulais tout voir, tout vivre, faire l'expérience de tout, retenir tout au fond de moi. À quoi bon, puisque je n'aurais jamais la possibilité de crier au monde ce que je savais ? Simplement parce que je ne voulais pas me tirer de là, supprimer le témoin que je pouvais être. » (Langbein, 1, p. 186.)

Certes, un très petit nombre des détenus invoqua ce motif. Cela pouvait, du reste, n'être qu'une bonne excuse (« "Je veux survivre pour telle ou telle raison, dans tel ou tel but", et il trouve des centaines de prétextes. Or la vérité, c'est qu'il voudrait vivre à tout prix », Lewental, p. 148). Ou il pouvait s'agir d'un simple désir de vengeance (« Bien entendu, j'aurais pu me jeter sur les fils barbelés, ça, on le peut toujours. Mais je voulais vivre. Et si se produisait le miracle que nous attendions tous ? Nous serons peut-être libérés, aujourd'hui ou demain. Alors, je me vengerai, alors je raconterai au monde ce qui s'est passé ici – là-bas, à l'intérieur », Sofsky, p. 477). Justifier sa propre survie n'est pas chose facile, surtout dans un camp. Il est des rescapés qui choisirent de se taire. « Certains de mes plus chers amis ne parlent jamais d'Auschwitz. » (Levi, 1, p. 224.) Mais il en est aussi pour qui ne pas faire mourir le témoin fut la seule raison de vivre. « D'autres, au contraire, en parlent sans arrêt, et je suis de ceux-là. » (*Ibid.*)

1.2

Primo Levi est le témoin par excellence. Lorsqu'il rentre chez lui, parmi les hommes, il raconte inlassablement à tous ce qu'il a dû subir. Il fait comme le Vieux Marin de la ballade de Coleridge :

> « Vous vous rappelez la scène – le Vieux Marin coince les invités, qui, tout à leur mariage, ne lui prêtent pas attention, et les oblige à écouter son histoire. Eh bien, juste après mon retour du camp de concentration, je me suis comporté exactement de cette façon. J'éprouvais un besoin irrépressible de raconter mes malheurs au premier venu ! [...] Toutes les occasions étaient bonnes pour conter à tous mon aventure ; au directeur de l'usine comme à l'ouvrier, qui avaient d'autres chats à fouetter. Je me trouvais vraiment réduit à l'état du Vieux Marin. Puis je me mis à taper à la machine pendant la nuit. [...] Toutes les nuits j'écrivais, et cette activité parut encore plus folle ! » (Levi, 1, p. 224-225.)

Mais il ne se sent pas écrivain, il ne le devient que pour témoigner. Écrivain, en un sens, il ne l'est jamais devenu. En 1963, alors qu'il a déjà publié deux romans et des nouvelles, quand on lui demande s'il se considère comme un chimiste ou comme un écrivain, il répond sans hésiter : « Ah, comme un chimiste, que ce soit bien clair, qu'il n'y ait pas de malentendu » (p. 102). Le fait qu'avec le temps, et comme à son insu, il avait fini par le devenir, écrivant des livres qui n'avaient plus grand-chose à voir avec son témoignage, le mettait profondément mal à l'aise : « Puis j'ai écrit, [...] j'ai contracté le vice de l'écriture » (1, p. 258). « Dans mon dernier livre, *La Clé à molette,* je me suis complètement dépouillé de ma qualité de témoin. [...] Ce faisant, je ne renie rien ; je n'ai pas cessé d'être un ancien déporté, un témoin... » (p. 167).

Et c'est en proie à ce malaise qu'il m'est apparu, lors de réunions éditoriales chez Einaudi. Il pouvait se sentir coupable d'avoir survécu, non d'avoir témoigné. « Je suis en paix avec moi-même parce que j'ai témoigné. » (*Ibid.*, p. 219.)

1.3

Le latin a deux termes pour désigner le témoin. Le premier, *testis,* dont vient notre « témoin », signifie à l'origine celui qui se pose en tiers entre deux parties (*terstis*) dans un procès ou un litige. Le second, *superstes,* désigne celui qui a vécu quelque chose, a traversé de bout en bout un événement et peut donc en témoigner. Il est clair que Levi n'est pas un tiers ; il est, de part en part, un rescapé [1]. Cela veut dire que son témoignage ne concerne pas l'établissement des faits en vue d'un procès (il n'est pas assez neutre, il n'est pas un *testis*). En dernière analyse, ce n'est pas le jugement qui importe pour lui – encore moins le pardon. « Je ne comparais jamais comme juge. » (Levi, 1, p. 77.) « Je n'ai pas autorité pour accorder le pardon. [...] Je parle sans autorité. » (*Ibid.*, p. 236.) De fait, il semble ne s'intéresser qu'à ce qui rend le jugement impossible, cette « zone grise » où victimes et bourreaux échangent leurs rôles. C'est surtout sur ce point que les rescapés sont d'accord : « Un groupe n'était pas plus humain qu'un autre » (p. 232). « Victime et bourreau sont également ignobles, et la leçon des camps, c'est la fraternité dans l'abjection. » (Rousset, cité par Levi, 1, p. 216.)

Non qu'un jugement ne puisse ou ne doive être prononcé. « Si j'avais eu Eichmann en face de moi, je l'aurais condamné à mort » (p. 144). « S'ils ont commis un crime, alors ils doivent payer » (p. 236). Mais il est crucial que les deux choses ne soient pas confondues, que le droit ne prétende pas régler la question. Il y a une consistance non juridique de la vérité, telle qu'on ne pourra jamais rabattre la *quaestio facti* sur la

---

1. L'italien *superstite,* que nous rendons par « rescapé », vient du latin *superstes.* (N. d. T.)

18

quaestio juris. L'affaire du rescapé est là : dans tout ce qui porte une action humaine au-delà du droit, la soustrait radicalement au Procès. « Chacun d'entre nous peut être poursuivi, condamné, exécuté, et ne pas savoir pourquoi » (p. 75).

1.4

L'une des méprises les plus courantes – non seulement au sujet des camps – provient d'une confusion tacite entre catégories éthiques et juridiques (ou, pire encore, entre catégories juridiques et théologiques : la nouvelle théodicée). La plupart des catégories qui ont cours en matière de morale et de religion sont plus ou moins contaminées par le droit : faute, responsabilité, innocence, jugement, condamnation... On ne peut donc s'en servir sans précautions expresses. Car le fait est – les juristes le savent bien – que le but ultime du droit n'est pas de garantir la justice. Et encore moins la vérité. Il a pour seul but le jugement, indépendamment de la vérité ou de la justice. La preuve en est, irréfutable, que l'*autorité de la chose jugée* concerne aussi bien les sentences injustes. La production d'une *res judicata* – où la sentence tient lieu du vrai, du juste, et vaut comme vérité quand même elle est d'une injustice et d'une fausseté patentes –, telle est la fin dernière du droit. Dans cette créature hybride, à la fois fait et norme, le droit trouve son accomplissement ; au-delà, il est muet.

En 1983, l'éditeur Einaudi demanda à Levi de traduire *Le Procès* de Kafka. Ce livre a donné lieu à beaucoup d'exégèses, qui soulignent son caractère prophético-politique (la bureaucratie moderne comme mal absolu), théologique (le tribunal est le Dieu caché) ou biographique (la condamnation serait la maladie dont Kafka se savait atteint). Mais on n'a guère noté que ce roman, où la loi apparaît exclusivement sous la forme du procès, contient des vues profondes sur la nature du droit, qui se donne ici moins comme norme que comme jugement, et donc procès. Or, si l'essence de la loi – de toute loi – est le procès, si tout le droit (et la morale qu'il contamine) est seulement droit (et morale) processif, alors exécution et transgression, innocence et culpabilité, obéissance et désobéissance deviennent indifférentes. « Le tribunal ne veut rien de toi. Il te reçoit quand tu viens, te laisse partir quand tu t'en vas. » La fin dernière de la norme est de produire le jugement ; mais celui-ci ne se propose ni de punir ni de récompenser, ni de rendre la justice ni de faire éclater la vérité. Le jugement est une fin en soi, et là est son mystère, le mystère du procès.

L'une des conséquences de cette nature autoréférentielle du jugement – qu'un grand juriste italien s'est chargé d'en tirer –, c'est que la peine ne fait pas suite au jugement, car le jugement est en lui-même la peine (*nullum judicium sine poena*). « On pourrait même dire que toute la peine est dans le jugement, et que la peine infligée – la prison, la mort – ne compte que dans la mesure où elle prolonge, en quelque sorte, le jugement (comme le dit l'expression "faire justice"). » (Satta, 26.) Cela signifie aussi que « l'acquittement est la reconnaissance d'une erreur judiciaire », et que, si « chacun est intimement innocent », le seul innocent véritable « n'est pas celui que l'on acquitte, mais celui qui traverse la vie sans jugement » (Satta, 27).

1.5

S'il en est ainsi – et le rescapé sait qu'il en est ainsi –, alors il se pourrait que les procès eux-mêmes (les douze procès de Nuremberg et d'autres qui eurent lieu en Allemagne ou ailleurs, jusqu'à celui de Jérusalem en 1961 qui conduisit Eichmann à la potence et entraîna à une nouvelle série de procès en République fédérale) soient en partie responsables de cette confusion des esprits qui pendant plusieurs décennies empêcha de penser Auschwitz. Aussi nécessaires qu'ils fussent, et malgré leur insuffisance patente (puisque au total ils auront concerné seulement quelques centaines de personnes), ils ont accrédité l'idée que le problème était réglé. Les sentences étaient rendues, la preuve de la culpabilité était définitivement apportée. À quelques exceptions près, il aura fallu presque un demi-siècle pour que l'on comprenne que le droit n'a pas réglé le problème, que le problème est tellement énorme qu'il met en cause le droit lui-même, qu'il le mène à la ruine.

La confusion entre droit et morale, entre théologie et droit, a fait quelques victimes illustres. L'une d'elles est le philosophe Hans Jonas, élève de Heidegger spécialisé dans les questions éthiques. En 1984, à l'occasion de la remise du prix Lucas, il se pencha sur Auschwitz. Et il le fit en instruisant une nouvelle théodicée, c'est-à-dire en se demandant comment Dieu avait pu tolérer Auschwitz. La théodicée est un procès qui vise à établir, non la responsabilité des hommes, mais celle de Dieu. Comme toute théodicée, celle-ci se conclut par un acquittement. Les attendus du jugement donnent à peu près ceci :

> « L'infini (Dieu) s'est entièrement dépouillé de sa toute-puissance dans le fini. En créant le monde, Dieu lui a pour ainsi dire confié son propre sort, il est devenu impuissant. Après s'être totalement dédié au monde, il n'a plus rien à nous offrir : c'est désormais à l'homme de donner. L'homme peut le faire en veillant à ce que Dieu n'ait pas, ou pas trop souvent, à se repentir d'avoir laissé être le monde. »

Le compromis qui entache toute théodicée est ici particulièrement patent. Non seulement elle ne nous dit rien sur Auschwitz, rien sur les victimes, rien sur les bourreaux, mais elle garde une intention conciliatoire. Sous l'impuissance de Dieu se lit en filigrane celle des humains, qui ressassent leur « plus jamais ça ! » alors qu'à l'évidence *ça* se produit partout.

1.6

La notion même de responsabilité est irrémédiablement contaminée par le droit. On le voit dès que l'on tente d'en faire usage hors de la sphère juridique. Pourtant, l'éthique, la politique, la religion n'ont pu se définir que par le terrain qu'elles gagnaient sur la responsabilité juridique ; mais elles l'ont fait moins en revendiquant une responsabilité d'un autre genre qu'en explorant des zones de non-responsabilité. Ce qui ne veut pas dire, bien sûr, d'impunité. Cela signifie plutôt – pour l'éthique tout au moins – buter sur une responsabilité infiniment plus grande que celle que nous serons jamais capable d'assumer. Au mieux, nous pouvons lui être fidèle, c'est-à-dire revendiquer ce qu'il y a en elle de proprement inassumable.

La découverte inouïe qu'a faite Primo Levi à Auschwitz concerne un matériau réfractaire à tout établissement d'une responsabilité ; il réussit à isoler quelque chose comme un nouvel élément éthique. Levi le nomme la « zone grise ». En elle se déroule la « longue chaîne qui lie la victime aux bourreaux », l'opprimé y devient oppresseur, le bourreau y apparaît à son tour comme une victime. Alchimie incessante et grise, où le bien, le mal, et avec eux tous les métaux de l'éthique traditionnelle atteignent leur point de fusion.

Il s'agit donc d'une zone d'irresponsabilité et d'« *impotentia judicandi* » (Levi, 2, p. 60), qui ne se situe plus *par delà* bien et mal, mais se tient, dirait-on, *en deçà* de l'un comme de l'autre. En un geste symétrique de celui de Nietzsche, Levi tire l'éthique en deçà du lieu où l'on avait coutume de la penser. Et, sans que nous sachions pourquoi, nous sentons que cet en-deçà a bien plus d'importance que tous les au-delà, que le sous-homme a bien plus à nous dire que le surhomme. Cette zone infâme d'irresponsabilité constitue notre premier cercle, d'où nul mea-culpa ne nous fera sortir, et où, de minute en minute, se grave la leçon de « la terrible, l'indicible, l'impensable *banalité du mal* » (Arendt, 1, p. 408).

1.7

Le verbe latin *spondeo,* d'où vient le mot de « responsabilité », signifie « se porter garant pour quelqu'un (ou pour soi) de quelque chose devant un autre ». Ainsi, dans la promesse du mariage, prononcer la formule *spondeo* signifie pour le père s'engager à donner sa fille (dite alors *sponsa*) pour femme au prétendant, ou garantir une réparation si la chose ne se faisait pas. En effet, dans le droit romain archaïque, l'usage voulait qu'un homme libre pût se livrer en otage – donc se constituer prisonnier, d'où le terme d'*ob-ligatio* – pour garantir la réparation d'un tort ou l'acquittement d'une obligation. (Le terme de *sponsor* désignait celui qui se substituait au *reus,* promettant de fournir lui-même, en cas de défaut, la prestation prévue.)

Le geste d'assumer une responsabilité est donc foncièrement juridique, et non éthique. Il n'exprime rien de noble ni de lumineux, seulement le fait de s'ob-liger, de se constituer prisonnier pour garantir une dette, dans un monde où le lien juridique s'inscrit encore dans la chair du responsable. Comme tel, ce geste est étroitement lié au concept de *culpa,* qui marque l'imputabilité d'un dommage (c'est pourquoi les Romains excluaient que l'on pût commettre une faute envers soi-même : *quod quis ex culpa sua damnum sentit, non intelligitur damnum sentire,* le dommage que chacun se cause à soi par sa faute n'a aucune valeur juridique).

Responsabilité et faute ne sont que les deux faces de l'imputabilité pénale ; c'est seulement dans un deuxième temps qu'elles furent intériorisées et sorties de la sphère du droit. D'où l'insuffisance et l'opacité de toute doctrine éthique qui prétend se fonder sur ces deux concepts. (Cela vaut moins pour Levinas, qui a fait du geste du *sponsor* le geste éthique par excellence, que pour Jonas, qui a prétendu formuler un véritable « principe de responsabilité ».) Insuffisance, opacité qui sautent aux yeux chaque fois que l'on essaie de tracer une frontière entre l'éthique et le droit. En voici deux exemples, aussi différents que possible quant à la gravité des faits, mais qui mettent en avant le même distinguo.

Pendant le procès de Jérusalem, la ligne de défense d'Eichmann fut clairement définie par son avocat, Robert Servatius : « Eichmann se sent coupable devant Dieu, non devant la loi. » Et en effet Eichmann (dont l'implication dans l'extermination des juifs était suffisamment prouvée, quoique son rôle ne fût sans doute pas tout à fait celui qu'on lui imputait) alla jusqu'à déclarer qu'il voulait « se pendre publiquement » afin de « libérer les jeunes Allemands du poids de la faute ». Néanmoins, il soutint jusqu'au bout que sa culpabilité devant Dieu (qui pour lui n'était que le *Höherer Sinnesträger,* le plus haut des porteurs de sens) ne pouvait donner lieu à des poursuites pénales. À l'évidence, le seul sens que pouvait avoir ce distinguo obstinément martelé, c'est qu'assumer une faute morale semblait à l'accusé éthiquement noble, au moment même où il refusait d'assumer une faute pénale (qui, du point de vue éthique, aurait dû lui paraître moins grave).

Récemment, un groupe d'individus qui

avaient appartenu à une organisation d'extrême gauche publia dans un journal italien un communiqué où il reconnaissait sa responsabilité politique et morale dans le meurtre d'un commissaire de police vingt années plus tôt. « Une telle responsabilité, toutefois, affirmait le communiqué, ne saurait être transformée [...] en responsabilité d'ordre pénal. » Il convient ici de rappeler que la reconnaissance d'une responsabilité morale n'a de valeur que si l'on se montre prêt à en subir les conséquences pénales. Chose que les auteurs du communiqué semblent subodorer, puisque, dans un passage révélateur, ils définissent leur responsabilité en des termes typiquement juridiques, affirmant qu'ils ont contribué « à créer un climat qui a conduit au meurtre » (mais le délit en question, l'incitation au crime, est bien évidemment prescrit). On a toujours trouvé de la noblesse au geste de celui qui prend sur soi un délit dont il est innocent ; au contraire, la reconnaissance d'une responsabilité politique ou morale sans conséquences judiciaires fut toujours caractéristique de l'arrogance des puissants (comme Mussolini dans l'affaire Matteotti). Mais aujourd'hui, en Italie (comme en France, où fut inventée la formule « responsable mais pas coupable »), ces modèles se sont renversés : on reconnaît, contrit, une responsabilité morale chaque fois que l'on souhaite se soustraire à la justice.

La confusion entre catégories éthiques et

juridiques (avec la logique du repentir qu'elle implique) est ici absolue. Elle est aussi à l'origine des nombreux suicides d'inculpés (non seulement parmi les criminels nazis), où la reconnaissance tacite d'une faute morale est censée racheter de la responsabilité pénale. Et il faut rappeler que le premier responsable de cette confusion n'est pas la doctrine catholique, puisqu'elle prévoit un sacrement spécifique pour libérer le pécheur de la faute, mais bien l'éthique laïque (dans sa version dominante). Après avoir érigé les catégories juridiques en catégories éthiques suprêmes, après avoir brouillé les cartes irrémédiablement, elle voudrait encore faire jouer son distinguo. Or l'éthique est la sphère qui ne connaît ni faute ni responsabilité : elle est, Spinoza le savait, la doctrine de la vie heureuse. Reconnaître une faute et une responsabilité – chose qu'il faut parfois faire – signifie quitter la sphère de l'éthique pour pénétrer dans celle du droit. Qui a dû franchir ce pas difficile ne peut prétendre ressortir par la porte qu'il vient de fermer derrière soi.

1.8

La figure terminale de la « zone grise », c'est le *Sonderkommando*. Les SS se servaient de cet euphémisme – Équipe spéciale – pour désigner le groupe de déportés qui avait en charge la

gestion des chambres à gaz et des fours crématoires. Ils devaient conduire les prisonniers nus
à la mort, en bon ordre, dans les chambres à
gaz ; puis sortir les cadavres mouchetés de rose
et de vert par l'effet de l'acide cyanhydrique,
et les laver au jet ; vérifier que dans les orifices
des corps aucun objet précieux n'était dis-
simulé ; arracher des mâchoires les dents en
or ; couper les cheveux des femmes et les laver
au chlorure d'ammonium ; transporter les
cadavres jusqu'aux crématoires et surveiller
leur combustion ; enfin, vider la cendre des
fours.

« Au sujet de ces *Sonderkommando* des bruits vagues et
incomplets circulaient déjà parmi nous pendant la captivité
et ils furent confirmés plus tard par les autres sources indi-
quées plus haut, mais l'horreur intrinsèque de cette condition humaine a imposé à tous les témoignages une sorte de
retenue, c'est pourquoi, aujourd'hui encore, il n'est pas
facile d'imaginer "ce que cela voulait dire" d'être contraint
d'exercer pendant des mois ce métier. [...] L'un d'eux a
déclaré : "Quand on fait ce travail, ou l'on devient fou le
premier jour, ou l'on s'y habitue." Mais un autre : "Bien
sûr j'aurais pu me tuer ou me faire tuer, mais je voulais
survivre pour me venger et pour porter témoignage. Il ne
faut pas croire que nous sommes des monstres : nous sommes comme vous, seulement bien plus malheureux." [...]
D'hommes qui ont connu cette extrême destitution de la
dignité humaine, on ne peut attendre une déposition au sens
judiciaire du terme, mais quelque chose qui tient de la
lamentation, du blasphème, de l'expiation et du besoin de
se justifier, de se récupérer eux-mêmes. [...] Avoir conçu et
organisé ces équipes spéciales a été le crime le plus démo-
niaque du national-socialisme. » (Levi, 2, p. 52-53.)

Et pourtant, Levi rapporte qu'un témoin, Miklos Nyiszli, l'un des rares survivants de la dernière équipe spéciale d'Auschwitz, dit avoir assisté, pendant une pause dans son « travail », à un match de foot entre SS et membres du *Sonderkommando*.

« D'autres SS et le reste de l'équipe assistent à la rencontre, prennent parti, font des paris, applaudissent, encouragent les joueurs comme si, au lieu de se dérouler devant les portes de l'enfer, le match se disputait sur un terrain de village. » (Levi, 2, p. 54.)

Certains voient peut-être dans ce match un bref moment d'humanité au cœur d'une horreur infinie. À mes yeux, comme à ceux des témoins, cette partie, cet intervalle de normalité, est au contraire la véritable horreur des camps. Car on peut croire, dans une certaine mesure, que les massacres ont pris fin – même s'ils se répètent çà et là, non loin de nous. Mais cette partie ne se termine jamais, c'est comme si elle durait encore, continûment. Elle est la trace indestructible de la « zone grise », qui ne connaît pas le temps et investit tout lieu. De là viennent l'angoisse et la honte des rescapés, « l'angoisse inscrite en chacun de nous du "tohu-bohu", de l'univers désert et vide, écrasé sous l'esprit de Dieu, mais dont l'esprit de l'homme est absent ; ou pas encore né ou déjà éteint » (Levi, 2, p. 84). C'est aussi notre honte à nous, qui n'avons pas connu les camps et assistons pourtant, on ne sait trop comment, à cette partie, rejouée sans cesse, avec chaque match dans nos stades, avec chaque émission de télévision, dans toute la normalité quotidienne. Si nous ne parvenons pas à comprendre cette partie, et à y mettre fin, il n'y a plus d'espoir.

1.9

Témoin, en grec, se dit *martis,* martyr. Les premiers Pères de l'Église en tirèrent le terme *martirium* pour désigner la mort des chrétiens persécutés, qui témoignaient par là de leur foi. Ce qui s'est passé dans les camps a bien peu à voir avec le martyre. À cet égard, les rescapés sont unanimes. « En appelant "martyrs" les victimes des nazis, nous dénaturons leur destin » (Bettelheim, 1, p. 120). En deux points, toutefois, il semble y avoir une certaine proximité. Le premier concerne le mot grec, qui vient d'un verbe signifiant « se rappeler ». Le rescapé a la vocation de la mémoire, il ne peut pas ne pas se rappeler.

« Les souvenirs de ma détention sont bien plus vifs et détaillés que pour tout ce que j'ai vécu auparavant et par la suite. » (Levi, 1, p. 225.) « Je garde un souvenir visuel et auditif de ces expériences d'une acuité que je ne m'explique pas. [...] Me sont restés gravées dans la mémoire, comme sur une bande magnétique, des phrases dans une langue que je ne connais pas, le polonais ou le hongrois : je les ai répétées à des Polonais et à des Hongrois, ils m'ont dit qu'elles avaient un sens. Pour une raison que j'ignore, il m'est arrivé quelque chose d'aberrant, je dirais presque une préparation inconsciente au témoignage. » (*Ibid.*, p. 220.)

Une proximité plus essentielle, plus éclairante, apparaît en un second point. La lecture des premiers textes chrétiens sur le martyre – par exemple le *Scorpiace* de Tertullien – nous apporte en effet des lumières inattendues. Les Pères devaient affronter des groupes hérétiques qui réfutaient le martyre parce qu'il constituait à leurs yeux une mort tout à fait insensée (*perire sine causa*). Quel sens y avait-il à professer la foi devant des hommes – les persécuteurs, les bourreaux – qui n'y comprenaient rien ? Dieu ne pouvait vouloir ce qui est insensé. « Des innocents doivent donc souffrir de telles choses ? [...] Une fois pour toutes le Christ s'est immolé pour nous, une fois pour toutes il fut tué, justement pour nous libérer de la mort. S'il me demande de l'imiter, serait-ce qu'il attend lui-même son salut de mon exécution ? Ou bien faut-il penser que Dieu réclame le sang des hommes alors même qu'il dédaigne celui des taureaux et des chèvres ? Comment peut-il souhaiter la mort de qui n'a pas péché ? » (Tertullien, *Scorpiace*, 63-65). La doctrine du martyre est donc née pour justifier le scandale d'une mort insensée, d'un carnage qui ne pouvait que paraître absurde. Au spectacle d'une mort apparemment *sine causa,* la référence à Lc 12, 8-9 et à Mt 10, 32-33 (« Qui me confessera devant les hommes, je le confesserai devant mon Père ; qui me reniera devant les hommes, je le renierai devant mon Père ») permit d'opposer le martyre comme un commandement divin, et de trouver ainsi une raison à la déraison.

Voilà qui a beaucoup à voir avec les camps : une extermination à laquelle on pourrait trouver des précédents se présente pourtant, dans les camps, sous une forme qui la prive absolument de sens. Sur ce point aussi, les rescapés sont d'accord. « À nous-mêmes, ce que nous avions à dire commençait alors à nous paraître *inimaginable.* » (Antelme, p. 9.) « Toutes les tentatives d'explication [...] ont ridiculement échoué. » (Améry, p. 16.) « Je suis très agacé par ces extrémistes religieux qui tentent d'interpréter l'extermination à la manière des prophètes : une punition pour nos péchés. Non ! Je ne peux accepter cela : c'est son absence de sens qui la rend si terrible. » (Levi, 1, p. 219.)

Le mot malheureux d'« holocauste » (souvent pourvu d'une capitale) trahit ce besoin inconscient de justifier la mort *sine causa,* de redonner un sens à ce qui n'en a aucun. « C'est en m'excusant, et à contrecœur, que j'use du terme d'holocauste, car je ne l'aime pas. Je m'en sers par commodité. Du point de vue philologique, il est impropre. » (*Ibid.*, p. 243.). « Quand ce terme est apparu, il m'a beaucoup déplu ; puis j'ai appris que c'est Wiesel lui-même qui l'a forgé, mais qu'il s'en est repenti, et aurait bien voulu le retirer. » (*Ibid.*, p. 219.)

L'histoire d'un terme, fût-il impropre, est toujours instructive. « Holocauste » est la transcription savante du latin *holocaustum,* lequel à son tour traduit le grec *holokaustos* (qui est pourtant un adjectif, signifiant littéralement « brûlé tout à fait » ; le substantif correspondant est *holokaustōma*). L'histoire sémantique de ce terme est principalement chrétienne, car les Pères de l'Église s'en servirent pour traduire – sans grande rigueur ni grande cohérence, à vrai dire – la doctrine complexe du sacrifice dans la Bible (en particulier dans le Lévitique et les Nombres). Le Lévitique classe tous les sacrifices dans quatre catégories : *ôlah, hattât, shelamin, minhâh.*

« Les noms de deux d'entre elles sont significatifs. Le *hattât* était le sacrifice qui servait particulièrement à expier le péché nommé *hattât* ou *hataah,* dont le Lévitique nous donne une définition malheureusement bien vague. Le *shelamin* est un sacrifice communiel, d'actions de grâces, d'alliance, de vœu. Quant aux termes *ôlah* et *minhâh,* ils sont purement descriptifs. Chacun d'eux rappelle l'une des opérations particulières du sacrifice : le second, la présentation de la victime, dans le cas où elle est de nature végétale, le premier, l'envoi de l'offrande à la divinité. » (Mauss, 209.)

La Vulgate traduit en général *ôlah* par *holocaustum (holocausti oblatio), hattât* par *oblatio, shelamin* par *hostia pacificorum, minhâh* par *hostia pro peccato.* De la Vulgate, le terme *holocaustum* passe aux Pères latins, qui l'emploient principalement pour les sacrifices des juifs dans les commentaires du texte sacré (ainsi dans Hil., *In Psalm.*, 65, 23 : *Holocausta sunt integra hostiarum corpora, quia tota ad ignem sacrificii deferebantur, holocausta sunt nuncupata*). Deux faits méritent d'être soulignés. D'abord, ce terme est très tôt utilisé par les Pères dans son sens littéral comme une arme polémique contre les juifs, pour dénoncer l'inutilité des sacrifices sanglants (qu'il suffise d'un exemple, Tertullien citant l'opinion de Marcion, *Adv. Marc.*, 5, 5 : *Quid stultius* [...] *quam sacrificiorum cruentorum et holocaustomatum nidorosurum a deo exactio ?* « Quoi de plus stupide qu'un dieu qui exige des sacrifices sanglants et des holocaustes à l'odeur de graillon ? » ; cf. aussi Augustin, *C. Faustum,* 19, 4). Ensuite, le terme se trouve étendu métaphoriquement aux martyrs chrétiens, pour assimiler leur supplice à un sacrifice (Hil., *In Psalm.*, 65, 23 : *Martyres in fidei testimonium corpora sua holocausta voverunt*), et jusqu'au sacrifice du Christ en croix, que l'on en vient à définir comme un holocauste (Augustin, *In Evang. Joah.,* 41, 5 : *Se in holocaustum obtulerit in cruce Iesus* ; Rufin., *Orig. in Lev.,* 1, 4 : *Holocaustum* [...] *carnis eius per lignum crucis oblatum*).

Le terme d'« holocauste » peut alors commencer cette migration sémantique qui le conduira, dans les langues vulgaires, à prendre de plus en plus nettement le sens de « sacrifice suprême, dans le cadre d'un abandon total à des motifs supérieurs et sacrés » qu'attestent nos dictionnaires. Les deux sens, littéral et figuré, apparaissent réunis chez Bandello (2, 24) : « Sont abolis les sacrifices et holocaustes de veaux, chèvres et autres animaux, en lieu de quoi s'offre à présent l'agneau précieux immaculé, le vrai corps et vrai sang du rédempteur et sauveur universel notre Seigneur Jésus-Christ. » Le sens métaphorique est attesté chez Dante (*Paradis*, XIV, 89 : « Je fis un holocauste à Dieu », au sujet de la prière du cœur), chez Savonarole, et bon an mal an jusque chez Delfico (« Nombreux s'offrant en parfait holocauste à la patrie ») et Pascoli (« Je vois dans le sacrifice, nécessaire et doux, jusqu'à l'holocauste, l'essence du christianisme »).

Mais l'usage polémique du terme dans l'antijudaïsme chrétien a lui aussi une longue histoire, fût-elle plus secrète et tue par les dictionnaires. Au cours de mes recherches sur la souveraineté, je suis tombé par hasard sur un passage d'une chronique médiévale où se trouve la première occurrence, à ma connaissance, du terme « holocauste » appliqué à un massacre de juifs, mais avec une connotation nettement antisémite. Richard de Duizes rapporte que, le jour du couronnement de Richard Cœur de Lion (1189), les Londoniens se livrèrent à un pogrom des plus sanglants :

36

« Le jour du couronnement, à peu près à l'heure où le Fils s'était immolé pour le Père, on se mit dans la ville de Londres à immoler les juifs pour leur père le démon (*incoeptum est in civitate Londoniae immolare judaeos patri suo diabolo*) ; la célébration de ce mystère dura tant, que l'holocauste prit fin seulement le jour suivant. Et les autres cités et villages de la région imitèrent la foi des Londoniens, et, avec une égale dévotion, expédièrent en enfer, dans le sang, leurs sangsues (*pari devotione suas sanguisugas cum sanguine transmiserunt ad inferos*) » (Bertelli, p. 131).

La formation d'un euphémisme, dans la mesure où l'on y remplace le nom propre d'une chose dont on ne veut pas entendre parler par une expression atténuée ou altérée, comporte toujours une certaine ambiguïté. Mais, dans le cas qui nous occupe, l'ambiguïté n'est pas tolérable. Même les juifs usent, pour désigner l'extermination, d'un euphémisme. Il s'agit du terme *shoah,* qui signifie « dévastation, catastrophe », et qui, dans la Bible, est souvent lié à l'idée d'un châtiment divin (comme en Is 10, 3 : « Que ferez-vous au jour du châtiment, quand de loin viendra la *shoah* ? »). Certes, c'est sans doute ce terme qu'a Levi à l'esprit quand il dénonce la tentative d'interpréter l'extermination comme une punition de nos péchés, mais au moins l'euphémisme ne contient-il ici aucune dérision. Dans le cas du terme « holocauste », en revanche, le rapprochement, fût-il vague, entre Auschwitz et le *ôlah* biblique, entre la mort dans les chambres à gaz et « l'abandon total à des motifs supérieurs et sacrés », sonne fatalement comme un affront. Non seulement le terme suppose une équation inacceptable entre fours crématoires et autels, mais il recueille un héritage sémantique qui a dès l'origine une coloration antijudaïque. Nous nous garderons donc d'employer ce mot.

1.11

À un article sur les camps de concentration que j'ai publié dans un quotidien français il y a quelques années, un lecteur a réagi par une lettre au directeur de la publication, où il m'accusait de vouloir, par mes analyses, « ruiner le caractère unique et indicible d'Auschwitz ». Je me suis souvent demandé ce que l'auteur de la lettre avait en tête. Qu'Auschwitz ait été un phénomène unique (du moins relativement au passé ; pour l'avenir on ne peut qu'espérer), voilà qui est assez probable (« Jusqu'au moment où j'écris, et malgré l'horreur de Hiroshima et de Nagasaki, la honte des goulags, l'inutile et sanglante campagne du Viêtnam, l'autogénocide cambodgien, les disparus d'Argentine, et toutes les guerres atroces et stupides auxquelles nous avons assisté ensuite, le système concentrationnaire nazi demeure une chose unique, tant par les dimensions que par la qualité », Levi, 2, p. 21). Mais pourquoi indicible ? Pourquoi conférer à l'extermination le prestige de la mystique ?

En l'an 385 de notre ère, Jean Chrysostome composa à Antioche son traité *Sur l'incompréhensibilité de Dieu*. Il avait pour adversaires ceux qui soutenaient que l'essence de Dieu pouvait être comprise parce que « tout ce qu'Il sait de Soi, nous le retrouvons facilement en nous-même ». Quand il affirme vigoureusement contre eux l'incompréhensibilité absolue de Dieu, qui est « indicible » (*arrhētos*), « inénarrable » (*anekdiēgētos*) et « ininscriptible » (*anepigraptos*), Jean sait bien que c'est là la meilleure façon de le glorifier (*doxan didonaï*) et de l'adorer (*proskuein*). Même pour les anges, du reste, Dieu est incompréhensible ; mais ils n'en chantent que mieux sa gloire et leur adoration dans les cantiques mystiques qu'ils lui adressent sans cesse. À ce concert angélique Jean oppose ceux qui cherchent vainement à savoir : « Ceux-ci [les anges] chantent la gloire, ceux-là s'efforcent de comprendre ; ceux-ci adorent en silence, ceux-là s'acharnent ; ceux-ci détournent les yeux, ceux-là n'ont pas honte de regarder en face la gloire inénarrable » (Chrysostome, p. 129). Le verbe que nous avons rendu par « adorer en silence », c'est *euphēmein*. De ce mot, qui signifie à l'origine « observer un silence religieux », provient le terme d'« euphémisme », lequel désigne les mots tenant lieu d'autres que la pudeur ou la politesse interdisent de prononcer. Dire qu'Auschwitz est « indicible » ou « incompréhensible », cela revient à *euphē-mein,* à l'adorer en silence comme on fait d'un dieu ; cela signifie donc, malgré les bonnes intentions, contribuer à sa gloire. Nous, au contraire, nous n'avons « pas honte de regarder en face l'inénarrable ». Au risque de découvrir que ce que le mal sait de soi, « nous le retrouvons facilement en nous-même ».

1.12

Le témoignage comporte pourtant une lacune. Sur ce point, les rescapés sont d'accord.

« Il y a aussi une autre lacune, dans tout témoignage : les témoins, par définition, sont des survivants, et ils ont donc tous, d'une manière ou d'une autre, joui d'un privilège. [...] Le sort du détenu ordinaire, personne ne l'a raconté, parce que pour lui il n'était pas matériellement possible de survivre. [...] J'ai moi-même décrit le détenu ordinaire en parlant des "musulmans" : mais les musulmans, eux, n'ont pas parlé. » (Levi, 1, p. 215-216.) « Ceux qui n'ont pas vécu l'expérience ne sauront jamais ; ceux qui l'ont connue ne parleront jamais ; pas vraiment, pas complètement. Le passé appartient aux morts. » (Wiesel, cité par Sofsky, p. 20.)

Cette lacune, il faut la penser, car elle met en cause le sens même du témoignage, et avec lui l'identité et la crédibilité des témoins.

« Je le répète : nous, les survivants, ne sommes pas les vrais témoins. [...] Nous, les survivants, nous sommes une minorité non seulement exiguë, mais anormale : nous sommes ceux qui, grâce à la prévarication, l'habileté ou la chance, n'ont pas touché le fond. Ceux qui l'ont fait, qui ont vu la Gorgone, ne sont pas revenus pour raconter, ou sont revenus muets, mais ce sont eux, les "musulmans", les engloutis, les témoins intégraux, ceux dont la déposition aurait eu une signification générale. Eux sont la règle, nous, l'exception. [...] Nous autres, favorisés par le sort, nous avons essayé avec plus ou moins de savoir de raconter non seulement notre destin, mais aussi celui des autres, des engloutis ; mais c'est un discours fait "pour le compte d'un tiers", c'est le récit de choses vues de près, non vécues à notre propre compte. La destruction menée à son terme, l'œuvre accomplie, personne ne l'a racontée, comme personne n'est jamais revenu pour raconter sa propre mort. Les engloutis, même s'ils avaient eu une plume et du papier, n'auraient pas témoigné, parce que leur mort avait commencé avant la mort corporelle. Des semaines et des mois avant de s'éteindre, ils avaient déjà perdu la force d'observer, de se souvenir, de prendre la mesure des choses et de s'exprimer. Nous, nous parlons à leur place, par délégation. » (Levi, 2, p. 82-83.)

Le témoin témoigne en principe pour la vérité et pour la justice, lesquelles donnent à ses paroles leur consistance, leur plénitude. Or le témoignage vaut ici essentiellement pour ce qui lui manque ; il porte en son cœur cet « intémoignable » qui prive les rescapés de toute autorité. Les « vrais » témoins, les « témoins intégraux », sont ceux qui n'ont pas témoigné, et n'auraient pu le faire. Ce sont ceux qui « ont touché le fond », les « musulmans », les engloutis. Les rescapés, pseudo-témoins, parlent à leur place, par délégation – témoignent d'un témoignage manquant. Mais parler de délégation n'a ici guère de sens : les engloutis n'ont rien à dire, aucune instruction ou mémoire à transmettre. Ils n'ont ni « histoire » (Levi, 3, p. 96), ni « visage », ni, à plus forte raison, « pensée » (*ibid.*). Qui se charge de témoigner pour eux sait qu'il devra témoigner de l'impossibilité de témoigner. Or voilà qui altère irrémédiablement la valeur du témoignage, et oblige à chercher son sens dans une zone inattendue.

1.13

Qu'il y a dans le témoignage quelque chose comme une impossibilité de témoigner, cela a déjà été observé. En 1983 parut le livre de Jean-François Lyotard, *Le Différend,* qui, reprenant ironiquement les thèses révisionnistes récentes, s'ouvre sur le constat d'un paradoxe logique :

« On vous apprend que des êtres humains doués de langage ont été placés dans une situation telle qu'aucun d'eux ne peut vous rapporter maintenant ce qu'elle fut. La plupart ont disparu alors, les survivants en parlent rarement. Quand ils en parlent, leur témoignage ne porte que sur une infime partie de cette situation. – Comment savoir que cette situation elle-même a existé ? N'est-elle pas le fruit de l'imagination de votre informateur ? Ou bien la situation n'a pas existé en tant que telle. Ou bien elle a existé, et alors le témoignage de votre informateur est faux, car ou bien il devrait avoir disparu, ou bien il devrait se taire. [...] Avoir "réellement vu de ses propres yeux" une chambre à gaz serait la condition qui donne l'autorité de dire qu'elle existe et de persuader l'incrédule. Encore faut-il prouver qu'elle tuait au moment où on l'a vue. La seule preuve recevable qu'elle tuait est qu'on en est mort. Mais, si l'on est mort, on ne peut témoigner que c'est du fait de la chambre à gaz. » (Lyotard, p. 16.)

Quelques années plus tard, au cours de recherches menées à l'université Yale, S. Felman et D. Laub avancèrent une définition de la *shoah* comme « événement sans témoin ». En 1990, l'un des auteurs développa cette idée sous la forme d'un commentaire du film de Claude Lanzmann. Événement sans témoin, la *shoah* l'est doublement : il est impossible d'en témoigner de l'intérieur – on ne témoigne pas de l'intérieur de la mort, il n'y a pas de voix pour l'extinction des voix – comme de l'extérieur – l'*outsider* est par définition exclu de l'événement.

« Il n'est pas réellement possible de *dire la vérité,* de témoigner de l'extérieur. Il n'est pas non plus possible, comme nous l'avons vu, de témoigner de l'intérieur. Il me semble que la posture impossible et la tension testimoniale du film entier est précisément de n'être ni simplement à l'intérieur, ni simplement à l'extérieur, mais, paradoxalement, *à la fois à l'extérieur et à l'intérieur* : le film tente de frayer une voie et de jeter un pont qui n'existait pas pendant la guerre et n'existe pas aujourd'hui *entre l'intérieur et l'extérieur* – pour les mettre tous deux en contact et en dialogue. » (Felman, p. 89.)

Ce seuil d'indistinction entre dedans et dehors (qui, nous allons le vérifier, a peu à voir avec un « pont » ou un « dialogue ») aurait pu conduire à une compréhension de la structure du témoignage ; or c'est précisément là ce que l'auteur omet d'interroger. Au lieu d'une analyse, nous suivons une dérive, qui d'une impossibilité logique mène à une possibilité esthétique, par le recours à la métaphore du chant.

« Ce qui fait le pouvoir du témoignage dans le film, et constitue en général la force du film, ce ne sont pas les mots mais la relation équivoque, déroutante entre les mots et la voix, les interactions entre les mots, la voix, le rythme, la mélodie, les images, l'écriture et le silence. Chaque témoignage nous parle au-delà de ses mots, au-delà de sa mélodie, comme l'accomplissement unique d'un chant. » (Felman, p. 139-40.)

Résoudre le paradoxe du témoignage grâce au *deus ex machina* du chant, cela revient à esthétiser le témoignage – chose que Lanzmann s'était bien gardé de faire. Ni le poème ni le chant ne sauraient intervenir pour sauver l'impossible témoignage ; au contraire, c'est le témoignage qui peut, éventuellement, fonder la possibilité du poème.

1.14

Les incompréhensions d'un esprit honnête sont souvent pleines d'enseignement. Primo Levi, qui ne goûtait pas les auteurs obscurs, se sentait attiré par la poésie de Celan, quoiqu'il ne parvînt pas vraiment à la comprendre. Dans un bref essai intitulé *De l'écriture obscure,* il oppose Celan à ceux qui écrivent de façon obscure par mépris du lecteur ou par impuissance expressive : l'obscurité de sa poétique évoque plutôt pour lui « un se-tuer-d'avance, un non-vouloir-être, un fuir-le-monde dont la mort voulue a été le couronnement » (Levi, 5, p. 74). L'extraordinaire opération que Celan fait subir à la langue allemande, qui a tant fasciné ses lecteurs, Levi la compare plutôt – pour des raisons qui, je crois, méritent réflexion – à un balbutiement inarticulé ou au râle d'un moribond.

« Ces ténèbres, de plus en plus denses de page en page, jusqu'à un ultime balbutiement inarticulé, consternent comme le râle d'un moribond, et le sont en effet. Elles nous attirent comme attirent les gouffres, mais en même temps elles nous flouent de quelque chose qui devait être dit et ne l'a pas été, et donc elles nous frustrent et nous repoussent. Je pense, quant à moi, que le poète Celan doit bien plutôt être médité et pris en compassion qu'imité. Si son message est un message, celui-ci se perd dans le "bruit" : il n'est pas une communication, il n'est pas un langage, tout au plus est-il un langage obscur et manchot, tel celui de qui va mourir, seul comme nous le serons tous à l'agonie » (p. 74-75).

À Auschwitz, Levi avait déjà eu l'occasion d'écouter et d'interpréter tant bien que mal un balbutiement inarticulé, quelque chose comme un non-langage ou un langage obscur et manchot. C'était durant les jours qui avaient suivi la libération, quand les Russes avaient transféré les rescapés de la Buna au « grand camp » d'Auschwitz. L'attention de Levi avait été soudain attirée par un enfant que les déportés appelaient Hurbinek.

« Hurbinek n'était rien, c'était un enfant de la mort, un enfant d'Auschwitz. Il ne paraissait pas plus de trois ans, personne ne savait rien de lui, il ne savait pas parler et n'avait pas de nom : ce nom curieux d'Hurbinek lui venait de nous, peut-être d'une des femmes qui avait rendu de la sorte un des sons inarticulés que l'enfant émettait parfois. Il était paralysé à partir des reins et avait les jambes atrophiées, maigres comme des flûtes ; mais ses yeux, perdus dans un visage triangulaire et émacié, étincelaient, terriblement vifs, suppliants, affirmatifs, pleins de la volonté de briser ses chaînes, de rompre les barrières mortelles de son mutisme. La parole qui lui manquait, que personne ne s'était soucié de lui apprendre, le besoin de la parole jaillissait dans son regard avec une force explosive. » (Levi, 4, p. 25.)

Or Hurbinek se met bientôt à répéter un mot en boucle, que personne dans le camp ne parvient à comprendre, et que Levi transcrit approximativement : *mass-klo* ou *matisklo*.

« La nuit, nous tendîmes l'oreille : c'était vrai, du coin de Hurbinek venait de temps en temps un son, un mot. Pas toujours le même, à vrai dire, mais certainement un mot articulé ; mieux, plusieurs mots articulés de façon très peu différente, des variations expérimentales autour d'un thème, d'une racine, peut-être d'un nom » (p. 26).

Tous écoutent et s'efforcent de déchiffrer ce son, ce vocabulaire naissant : mais, bien que toutes les langues d'Europe fussent représentées dans le camp, le mot d'Hurbinek demeure obstinément secret.

> « Ce n'était certes pas un message, une révélation : mais peut-être son nom, si tant est qu'il en ait eu un ; peut-être (selon une de nos hypothèses) voulait-il dire "manger", ou peut-être "viande" en bohémien, comme le soutenait avec de bons arguments un de nous qui connaissait cette langue. [...] Hurbinek, le sans-nom, dont le minuscule avant-bras portait le tatouage d'Auschwitz ; Hurbinek mourut les premiers jours de mars 1945, libre mais non racheté. Il ne reste rien de lui : il témoigne à travers mes paroles » (p. 26-27).

Peut-être était-ce ce mot secret que Levi entendait se perdre dans le « bruit » de la poésie de Celan. À Auschwitz, il s'était au moins efforcé d'écouter l'intémoigné, de recueillir sa parole secrète : *mass-klo, matisklo*. Peut-être toute parole, toute écriture naît-elle, en ce sens, comme témoignage. Pour cette raison même, ce dont elle témoigne ne peut être déjà langue, déjà écriture : ce ne peut être qu'un intémoigné. Et c'est bien là le son qui nous parvient de la lacune, la non-langue qui se parle seul, de laquelle répond la langue, dans laquelle naît la langue. Et c'est sur la nature de cet intémoigné, sur sa non-langue, qu'il convient de s'interroger.

1.15

Hurbinek ne peut témoigner parce qu'il n'a pas de langue (le mot qu'il profère est un son incertain et dénué de sens : *mass-klo* ou *matis-klo*). Et pourtant, il « témoigne à travers mes paroles ». Mais le rescapé lui-même ne peut témoigner intégralement, dire sa propre lacune. Cela veut dire que le témoignage est la rencontre entre deux impossibilités de témoigner ; que la langue, pour témoigner, doit céder la place à une non-langue, montrer l'impossibilité de témoigner. La langue du témoignage est une langue qui ne signifie plus, mais qui, par son non-signifier, s'avance dans le sans-langue jusqu'à recueillir une autre insignifiance, celle du témoin intégral, de celui qui, par définition, ne peut témoigner. Pour témoigner, il ne suffit donc pas de porter la langue jusqu'à son propre non-sens, jusqu'à la pure indécidabilité des lettres (*m-a-s-s-k-l-o, m-a-t-i-s-k-l-o*) ; il faut encore que ce son dénué de sens soit à son tour la voix de quelque chose ou de quelqu'un qui, pour de tout autres raisons, ne peut témoigner. Autrement dit, que l'impossibilité de témoigner, la « lacune » constitutive de la langue humaine, s'effondre sur soi pour céder la place à une autre impossibilité de témoigner – celle de ce qui n'a pas de langue.

La trace que la langue croit transcrire à partir de l'intémoigné n'est pas la parole de celui-ci. C'est la parole de la langue, celle qui naît quand le verbe n'est plus au commencement, quand il déchoit de celui-ci pour – simplement – témoigner : « Ce n'était pas la lumière, mais ce qui témoigne de la lumière. »

2. Le « musulman »

2.1

L'intémoignable porte un nom. Il s'appelle, dans l'argot du camp, *der Muselmann,* le « musulman ».

« Celui qu'on appelait le "musulman" dans le jargon du camp, le détenu qui cessait de lutter et que les camarades laissaient tomber, n'avait plus d'espace dans sa conscience où le bien et le mal, le noble et le vil, le spirituel et le non-spirituel eussent pu s'opposer l'un à l'autre. Ce n'était plus qu'un cadavre ambulant, un assemblage de fonctions physiques dans leurs derniers soubresauts. Aussi pénible que cela nous soit, il faut l'exclure de nos considérations. » (Améry, p. 32.)

(De nouveau, la lacune du témoignage, cette fois expressément revendiquée.)

« Tandis que nous descendions les marches qui conduisaient aux toilettes, ils ont fait descendre avec nous un groupe de *Muselmann,* comme on les appellerait plus tard : des hommes-momies, des morts vivants. Et ils les ont fait descendre avec nous seulement pour nous les faire voir, comme pour nous dire : "Voilà ce que vous deviendrez". » (Carpi, p. 17.)

« Le SS avançait lentement ; il regardait en direction du musulman qui marchait droit sur lui. Nous avons tous tourné les yeux vers la gauche pour voir ce qui allait se passer. Cet être hébété, sans volonté, traînant ses sabots de bois, finit sa course littéralement dans les bras du SS, qui le couvrit d'injures et lui assena un coup de cravache sur la tête. Le musulman s'arrêta, sans comprendre ce qui était arrivé, et quand il reçut un deuxième, puis un troisième coup pour avoir oublié d'ôter sa casquette, il fit dans son pantalon, car il souffrait de dysenterie. Quand le SS vit le liquide noir et puant couler sur les sabots, il explosa de rage. Il se jeta sur lui, lui donna des coups de pied au ventre, puis, alors que le malheureux était tombé dans ses excréments, il lui frappa encore la tête et la poitrine. Le musulman ne se défendait pas. Au premier coup il s'était plié en deux ; encore deux ou trois, et il était mort. » (Ryn et Klodzinski, p. 128-129.)

« En ce qui concerne les maladies de la dénutrition et leurs symptômes, il faut distinguer deux phases. La première se caractérise par un amaigrissement, une asthénie musculaire et une perte d'énergie progressive dans les mouvements. À ce stade, l'organisme n'a pas encore subi de dommages irréversibles. Les malades ne présentent pas d'autres symptômes que la lenteur des mouvements et la perte du tonus. À part une certaine excitabilité et une irritabilité caractéristique, on ne constate pas non plus d'altérations au plan psychique. Il était difficile de situer précisément le moment du passage d'un stade à l'autre. Chez certains, il se faisait lentement et insensiblement, chez d'autres rapidement. On pouvait estimer que la seconde phase commençait quand l'individu affamé avait perdu un tiers de son poids normal. S'il continuait à maigrir, même son visage changeait d'aspect. Le regard devenait opaque et les traits formaient une expression indifférente, machinale et triste. Les yeux se voilaient, les orbites se creusaient profondément. La peau avait une coloration gris pâle, devenait très fine et dure comme du papier, commençait à se desquamer. Elle était très sensible à toutes les formes d'infection et de contagion, particulièrement à la gale. Les cheveux devenaient hirsutes, opaques, cassants. La tête s'allongeait, les pommettes saillaient, les orbites se creusaient. Le malade respirait lentement, parlait bas et au prix d'un grand effort. Selon la durée de l'état de dénutrition se développaient des œdèmes plus ou moins gros. Ils apparaissaient d'abord sur les paupières et sur les pieds, puis en divers endroits selon l'heure de la journée. Le matin, après le repos nocturne, ils touchaient surtout le visage. Le soir, plutôt les pieds, les parties inférieure et supérieure des jambes. La station debout faisait que les liquides s'accumulaient dans la part inférieure du corps. À mesure que l'état de dénutrition s'accentuait, les œdèmes s'étendaient, surtout chez ceux qui devaient rester debout de longues heures, d'abord sur la partie inférieure des jambes, puis sur les cuisses, sur les fesses, sur les testicules, enfin sur l'abdomen. Aux ballonnements s'ajoutait souvent la diarrhée, qui parfois avait précédé le développement des œdèmes. Dans cette phase les malades devenaient indifférents à tout ce qui se passait autour d'eux. Ils s'excluaient eux-mêmes de toute relation avec l'environnement. S'ils avaient encore la force de se mouvoir, ils le faisaient au ralenti, sans fléchir les genoux. Comme leur température descendait en général audessous de 36°, ils tremblaient de froid. Si l'on observait de loin un groupe de malades, ils avaient l'air d'Arabes en prière. C'est de là, j'imagine, que vient le terme d'usage à Auschwitz pour désigner ceux qui étaient en train de mourir de dénutrition : les "musulmans". » (Ryn et Klodzinski, p. 94.)

« Personne n'avait pitié du musulman, il ne pouvait compter sur la sympathie de personne. Les autres détenus, qui craignaient sans cesse pour leur vie, ne leur accordaient pas même un regard. Chez les collaborateurs, les musulmans suscitaient colère et soucis ; pour les SS, ils n'étaient que déchets inutiles. Chacun à sa manière, les uns comme les autres ne songeaient qu'à les éliminer. » (*Ibid.,* p. 127.)

« Tous les "musulmans" qui finissent à la chambre à gaz ont la même histoire, ou plutôt ils n'ont pas d'histoire du tout : ils ont suivi la pente jusqu'au bout, naturellement, comme le ruisseau va à la mer. Dès leur arrivée au camp, par incapacité foncière, par malchance, ou à la suite d'un incident banal, ils ont été terrassés avant même d'avoir pu

51

s'adapter. Ils sont pris de vitesse : lorsque enfin ils commencent à apprendre l'allemand et à distinguer quelque chose dans l'infernal enchevêtrement de lois et d'interdits, leur corps est déjà miné, et plus rien désormais ne saurait les sauver de la sélection ou de la mort par faiblesse. Leur vie est courte mais leur nombre infini. Ce sont eux, les *Muselmänner,* les damnés, le nerf du camp ; eux, la masse anonyme, continuellement renouvelée et toujours identique, des non-hommes en qui l'étincelle divine s'est éteinte, et qui marchent et peinent en silence, trop vides déjà pour souffrir vraiment. On hésite à les appeler des vivants : on hésite à appeler mort une mort qu'ils ne craignent pas parce qu'ils sont trop épuisés pour la comprendre. Ils peuplent ma mémoire de leur présence sans visage, et si je pouvais résumer tout le mal de notre temps en une seule image, je choisirais cette vision qui m'est familière : un homme décharné, le front courbé et les épaules voûtées, dont le visage et les yeux ne reflètent nulle trace de pensée. » (Levi, 3, p. 96-97.)

2.2

Sur l'origine du terme *Muselmann*, les avis divergent. Du reste, comme souvent dans les argots, les synonymes ne manquent pas.

« Le mot était en usage à Auschwitz, d'où il s'est propagé dans d'autres camps. [...] À Majdanek, l'expression était inconnue. Là-bas, les morts vivants s'appelaient des *Gamel*, à Dachau *Kretiner* ("crétins"), à Stutthof *Krüppel* ("estropiés"), à Mauthausen *Schwimmer* ("nageurs"), à Neuengamme *Kamele* ("chameaux"), à Buchenwald *müde Scheichs* ("cheiks fatigués"), et à Ravensbrück *Muselweiber* ("musulmanes") ou *Schmuckstücke* ("joyaux"). » (Sofsky, p. 400, n. 5.)

52

L'explication la plus probable renvoie au sens littéral du terme arabe *muslim,* signifiant celui qui se soumet sans réserve à la volonté divine, et d'où proviennent les légendes sur le prétendu fatalisme islamique, assez répandues en Europe depuis le Moyen Âge (avec cette nuance péjorative, le terme est attesté dans plusieurs langues européennes, et particulièrement en italien). Mais, tandis que la résignation du *muslim* repose sur la conviction que la volonté d'Allah est à l'œuvre à chaque instant dans le moindre événement, le « musulman » d'Auschwitz semble avoir perdu toute volonté et toute conscience :

> « Certaines couches de détenus avaient perdu depuis longtemps toute volonté de vivre. On appelait ces derniers, dans les camps, les "musulmans", c'est-à-dire des gens d'un fatalisme absolu. Leur soumission n'était pas un acte de volonté, mais au contraire une preuve que leur volonté était brisée. Ils acceptaient leur sort parce que toutes leurs forces intérieures étaient paralysées ou déjà détruites » (Kogon, p. 420).

Il y a d'autres explications ; elles sont moins convaincantes. Ainsi, celle rapportée par l'*Encyclopedia Judaïca,* à l'entrée *Muselmann* : « Surtout utilisé à Auschwitz, le terme semble provenir de la posture typique de ces détenus, blottis seuls, les jambes repliées à la manière "orientale", le visage rigide comme un masque ». Ou bien celle que suggère Marsalek, pour qui le terme faisait allusion aux « mouvements typiques des "musulmans", ces allées et venues du buste du haut vers le bas, [évoquant] les rituels de prière islamiques » (Sofsky, p. 400, n. 5). Ou encore celle, à vrai dire peu vraisemblable, qui entend dans *Muselmann* le *Muschelmann*, l'homme-coquillage, c'est-à-dire replié, refermé sur soi (Levi semble y songer lorsqu'il parle d'« hommes-coquilles »).

2.3

Le désaccord sur l'étymologie du terme se double parfois d'un doute sur le champ sémantique, épistémologique où il convient de l'inscrire. Rien d'étonnant à ce qu'un médecin comme Fejkiel, qui travailla longtemps dans les Lager, tende à traiter le musulman comme une figure nosographique – un cas particulier de malnutrition, endémique dans les camps. En un sens, c'est Bettelheim qui avait ouvert la voie en 1943, en publiant dans le *Journal of Abnormal and Social Psychology* son étude sur *Comportement individuel et comportement de masse dans les situations extrêmes* (Bettelheim, 1, p. 68-109). Entre 1938 et 1939, avant d'être libéré grâce à l'intervention d'Eleanor Roosevelt, Bettelheim avait passé un an dans ce qui était alors les deux plus grands camps de concentration nazis pour prisonniers politiques, Dachau et Buchenwald. Quoique les conditions de vie des Lager dans ces années-là

ne fussent pas comparables à celles d'Auschwitz, Bettelheim avait vu de ses yeux les
musulmans, et il s'était vite rendu compte des
transformations inédites que la « situation
extrême » infligeait à la personnalité des
déportés. Ainsi le musulman devint-il pour lui,
plus tard, lorsqu'il eut émigré aux États-Unis,
un paradigme pour son analyse de la schizo-
phrénie infantile pour l'*Orthogenic School*
– qu'il fonda à Chicago afin d'y traiter les
enfants autistiques – une sorte d'anticamp
pour apprendre aux musulmans à redevenir
humains. Pas un trait de la minutieuse phénoménologie de l'autisme infantile développée
dans *La Forteresse vide* qui n'ait son précur-
seur obscur et son paradigme herméneutique
dans la conduite du musulman. « Ce qui pour
le prisonnier était la réalité extérieure est pour
l'enfant autistique sa réalité intérieure. Chacun
d'eux, pour des raisons différentes, aboutit à
une expérience analogue du monde. » (Bettelheim, 2, p. 97.) De même que les enfants autistiques ignoraient totalement la réalité alentour
pour se replier dans un monde de fantasmes,
de même les prisonniers devenus musulmans
ne prêtaient plus attention aux relations réelles
de cause à effet pour leur substituer des idées
délirantes. Et, dans les yeux affligés de pseu-
dostrabisme, dans la démarche languissante,
les gestes compulsivement répétés, le mutisme
de Joey, de Marcia, de Laurie et des autres
enfants de l'école, il crut entrevoir la solution

de l'énigme que le musulman lui avait proposée à Dachau. Néanmoins, la notion de « situation extrême » ne perdit jamais pour Bettelheim sa connotation morale et politique, comme si le musulman ne pouvait se réduire pour lui à une catégorie clinique. Puisque l'enjeu de la situation extrême était de « demeurer un être humain » (Bettelheim, 3, p. 214), le musulman marquait à sa façon le seuil mobile où l'homme bascule dans le non-homme, et le diagnostic clinique, dans l'analyse anthropologique.

Quant à Levi, dont le premier témoignage fut un *Rapport sur l'organisation hygiénico-sanitaire du camp de concentration pour juifs de Monowitz (Auschwitz, Haute-Silésie)* rédigé en 1946 à la demande des autorités soviétiques, la nature de l'expérience dont il était appelé à témoigner n'a jamais fait de doute pour lui. « En vérité, c'étaient la dignité et le manque de dignité de l'homme qui m'intéressaient », déclara-t-il en 1986 à Barbara Kleiner, avec une ironie qui échappa sans doute à son interlocutrice (Levi, 1, p. 78). Le nouveau matériau éthique qu'Auschwitz lui avait révélé ne souffrait pas, de fait, les jugements et les distinctions sommaires ; que cela lui plût ou non, il lui fallait s'intéresser au manque de dignité autant qu'à la dignité. L'éthique d'Auschwitz commençait même – comme le disait déjà ironiquement la figure rhétorique du titre *Si c'est un homme* – en ce point précis où le musulman,

« témoin intégral », détruisait à jamais la possibilité de distinguer entre l'homme et le non-homme.

Que ce seuil extrême entre la vie et la mort, entre l'humain et l'inhumain, où se tenait le musulman, peut avoir en outre une signification politique, cela aussi fut affirmé expressément.

« Le musulman incarne la signification anthropologique du pouvoir absolu, sous une forme particulièrement radicale. Dans l'acte de mise à mort, le pouvoir s'abolit lui-même. La mort de l'autre met un terme au rapport social. Mais, en l'affamant, le pouvoir gagne du temps. Il crée un troisième règne, situé entre la vie et la mort. Comme le tas de cadavres, le musulman illustre le triomphe parfait sur l'être humain. Bien qu'il soit encore en vie, c'est une silhouette sans nom. Le régime s'accomplit dans son dépérissement. » (Sofsky, p. 250.)

Tour à tour figure nosographique et catégorie éthique, limite politique et concept anthropologique, le musulman est un être indéfini, au sein duquel non seulement l'humanité et la non-humanité, mais encore la vie végétative et la vie de relation, la physiologie et l'éthique, la médecine et la politique, la vie et la mort passent les unes dans les autres sans solution de continuité. C'est pourquoi son « troisième règne » est le fin mot du camp, de ce non-lieu où les barrières entre les domaines s'effondrent, où toutes les digues se rompent.

2.4

Le paradigme de la « situation extrême » ou de la « situation limite » est fréquemment invoqué de nos jours, par les philosophes comme par les théologiens. Il remplit une fonction analogue à celle qui revient, selon certains juristes, à l'état d'exception. De même, en effet, que l'état d'exception permet de fonder et de définir la validité de l'appareil juridique normal, de même, à la lumière de la situation extrême – laquelle, au fond, est une espèce de l'exception –, on peut juger et décider de la situation normale. Pour citer Kierkegaard : « L'exception explique et la règle et soi-même. Si l'on veut étudier correctement la règle, il faut prendre à bras-le-corps une exception réelle. » Ainsi, chez Bettelheim, le camp, comme situation extrême par excellence, permet-il de discerner ce qui est humain et ce qui ne l'est pas, de distinguer le musulman de l'homme.

À juste titre, pourtant, Karl Barth a remarqué – à propos du concept de situation limite et en particulier au vu de l'expérience de la Seconde Guerre mondiale – que l'homme a la capacité unique de s'adapter si bien à la situation extrême que celle-ci ne peut plus en rien remplir sa fonction discriminante.

« D'après ce que l'on observe aujourd'hui, écrivait-il en 1948, on peut dire avec certitude que, même au lendemain du Jugement dernier, si c'était possible, chaque bar ou *dancing,* chaque bal musette, chaque maison d'édition avide d'abonnements et de publicité, chaque groupuscule fanatique, chaque cercle mondain, chaque cénacle pieux rassemblé autour de l'inévitable tasse de thé et chaque synode chercherait à se reconstituer le mieux possible et à reprendre normalement ses activités, sans en être autrement affecté, comme si de rien n'était. Ni les incendies, ni les tremblements de terre, ni les guerres, ni les épidémies, ni l'éclipse du soleil, ni rien d'imaginable ne peut comme tel nous jeter dans une véritable angoisse, ni, par suite, amener une véritable paix. "Le Seigneur n'était pas dans le vent, pas dans la secousse, pas dans le feu" (I Rois 19, 11-12). Non, décidément pas ! » (Barth, p. 135.)

C'est bien cette confondante tendance de la situation limite à basculer dans l'habitude que tous les témoins, fussent-ils soumis aux conditions les plus extrêmes (comme les membres du *Sonderkommando*), s'accordent à reconnaître (« Quand on fait ce travail, ou l'on devient fou le premier jour, ou l'on s'y habitue »). Cette puissance secrète celée dans toute situation extrême, les nazis l'avaient si bien décelée, qu'ils ne mirent jamais fin à l'état d'exception qu'ils avaient déclaré en février 1933, au lendemain de la prise de pouvoir ; c'est pourquoi on a pu définir à juste titre le IIIe Reich comme « une Saint-Barthélemy qui a duré douze ans ».

Auschwitz est donc ce lieu où l'état d'exception coïncide parfaitement avec la règle, où la situation extrême devient le paradigme même du quotidien. Or c'est bien cette tendance paradoxale à se changer en son contraire qui rend la situation limite intéressante. Tant que l'état d'exception et la situation normale se trouvent – comme c'est généralement le cas – maintenus séparés dans l'espace et le temps, ils demeurent, même s'ils se nourrissent secrètement l'un de l'autre, opaques. Mais, aussitôt qu'ils montrent ouvertement leur connivence – comme il arrive chaque jour davantage –, ils s'éclairent l'un l'autre pour ainsi dire de l'intérieur. Seulement cela veut dire que la situation extrême ne saurait désormais faire office de critère discriminant, comme c'est encore le cas chez Bettelheim, et que sa leçon est plutôt celle de l'immanence absolue, du « tout qui est dans tout ». En ce sens, on peut définir la philosophie comme le monde vu depuis une situation extrême qui est devenue la règle (selon certains philosophes, le nom de cette situation extrême est Dieu).

2.5

Aldo Carpi, professeur de peinture à l'Académie de Brera, fut déporté à Gusen de février 1944 à mai 1945. Il réussit à survivre parce que les SS, ayant découvert son métier, se mirent à lui commander des toiles et des dessins. Il s'agissait surtout de portraits de parents, que Carpi devait exécuter à partir de photographies, mais aussi de paysages italiens et de « petits nus vénitiens », qu'il peignait de mémoire. Carpi n'était pas un peintre réaliste ;

pour des raisons qu'on imagine, il aurait pourtant voulu peindre d'après nature des scènes et des figures du camp ; or cela n'intéressait en rien ses commanditaires, qui même ne supportaient pas de les voir. « Personne ne veut des scènes et des figures du Lager », note Carpi dans son journal, « personne ne veut voir le *Muselmann* ». (Carpi, p. 33.)

Cette impossibilité de regarder le musulman se trouve confirmée par d'autres témoignages. L'un – quoiqu'il soit indirect – est particulièrement éloquent. Il y a quelques années seulement furent rendues publiques les bobines que les Anglais tournèrent en 1945 dans le camp de Bergen-Belsen tout juste libéré. Il est difficile de ne pas détourner les yeux devant les milliers de cadavres nus amoncelés dans les fosses communes ou portés sur le dos par d'anciens gardiens – ces corps martyrisés que les SS eux-mêmes ne parvenaient pas à nommer (nous savons par un témoignage qu'il ne fallait en aucun cas les appeler « cadavres » ou « corps », mais simplement *Figuren,* figures, mannequins). Pourtant, comme les Alliés se proposaient d'abord d'utiliser ces prises de vues pour diffuser en Allemagne même les preuves des atrocités nazies, aucun détail du terrible spectacle ne nous est épargné. À un moment donné, la caméra s'arrête presque par hasard sur ceux qui semblent encore des vivants, un groupe de déportés dont certains sont blottis par terre et d'autres errent debout comme des fantômes. Ce ne sont que quelques secondes, mais qui suffisent pour se rendre compte qu'il s'agit de musulmans rescapés par miracle – ou en tout cas de détenus très proches du stade de musulman. Si l'on fait exception des dessins exécutés de mémoire par Carpi, c'est là peut-être la seule image qui ait été gardée d'eux. Eh bien, le même opérateur qui s'était jusque-là longuement appesanti sur les corps nus empilés, sur les atroces « mannequins » désarticulés et jetés les uns par-dessus les autres, ne peut supporter la vue de ces morts vivants, il se détourne immédiatement pour cadrer les cadavres. Comme l'a noté Canetti, l'amoncellement des morts est un spectacle immémorial, dont les puissants se sont bien souvent délectés ; mais la vue des musulmans répond à un scénario inédit, et le regard humain ne peut la soutenir.

2.6

Ce que l'on ne veut voir à aucun prix, c'est pourtant bien le « nerf » du camp, le seuil fatal que tous les déportés sont sans cesse sur le point de franchir. « Cet état [celui du musulman] était la terreur des détenus, parce qu'aucun ne savait quand un sort identique allait le frapper, faisant de lui un candidat désigné pour la chambre à gaz ou quelque autre forme de trépas. » (Langbein, 2, p. 100.)

L'espace du camp (du moins dans les Lager comme Auschwitz, où camp de concentration et camp d'extermination se confondent) se laisse même représenter comme une série de cercles concentriques qui, telle une onde, frôlent continuellement un non-lieu central où se tient le musulman. La dernière limite de ce non-lieu se nomme, dans l'argot du camp, *Selektion* : tri pour la chambre à gaz. Le souci le plus constant du déporté était par conséquent de dissimuler ses maladies, sa prostration, de recouvrir toujours le musulman qu'il sentait affleurer en soi de toute part. Toute la population du camp n'est en fait qu'un immense tourbillon tournant obstinément autour d'un centre sans visage. Mais ce vortex anonyme, comme la rose mystique du paradis de Dante, est « peint à notre image » et porte en lui-même l'image véritable de l'homme. Conformément à la loi qui veut que l'homme ait en horreur ce à quoi il craint le plus d'être assimilé, le musulman est évité par tous parce que tous, dans le camp, se reconnaissent dans son visage biffé.

Chose curieuse, bien que tous les témoins en parlent comme d'une expérience centrale, le musulman est à peine mentionné dans les études historiques sur la destruction des juifs d'Europe. Peut-être fallait-il attendre aujourd'hui pour qu'il devienne, à presque cinquante ans de distance, pleinement visible, et pour que nous tirions toutes les conséquences de cette visibilité. Car elle suppose que le paradigme de l'extermination, qui a jusqu'à présent orienté de façon exclusive l'interprétation des camps, soit non pas remplacé, mais accompagné par un autre paradigme, qui jette une lumière nouvelle sur l'extermination elle-même, et la rend, si possible, plus atroce encore. Avant même d'être le camp de la mort, Auschwitz est le théâtre d'une expérimentation toujours impensée, dans laquelle, au-delà de la vie et de la mort, le juif se transforme en musulman, l'homme en non-homme. Et nous n'aurons compris Auschwitz que lorsque nous aurons compris qui est, ou ce qu'est le musulman, lorsque nous aurons appris à regarder avec lui la Gorgone.

2.7

L'une des périphrases dont use Levi pour désigner le musulman est : « celui qui a vu la Gorgone ». Mais qu'a donc vu le musulman, et qu'est-ce donc, dans le camp, que la Gorgone ?

Dans une étude exemplaire, F. Frontisi-Ducroux, analysant autant les témoignages littéraires que ceux de la sculpture et de la peinture sur vase, a montré ce qu'était, pour les Grecs, la Gorgone, cette tête féminine terrifiante cernée de serpents, dont la vue provoquait la mort, et que Persée dut donc trancher, avec l'aide d'Athéna, sans la regarder.

Avant tout, la Gorgone est privée de visage,

au sens que les Grecs donnaient au terme *prosōpon,* qui signifie étymologiquement « ce qui se tient devant les yeux, ce qui se donne à voir ». Le visage interdit, qu'on ne saurait regarder parce qu'il provoque la mort, est pour les Grecs un non-visage, et n'est jamais comme tel désigné par le terme *prosopon.* Pourtant, cette vision impossible est en même temps, pour eux, absolument inévitable. Non seulement le non-visage de la Gorgone se trouve représenté constamment dans la sculpture et la peinture sur vase, mais son mode de présentation est des plus insolites.

« Gorgo, l'antiface, n'est présentée, par la plastique et en peinture, que de face et dans un inéluctable affrontement de regards. [...] Cet anti*prosopon* est offert aux regards dans sa plénitude, affichant ostensiblement les signes de sa dangereuse efficacité visuelle. » (Frontisi-Ducroux, p. 68.)

Dérogeant à la convention iconographique qui voulait, dans la peinture sur vase, que la figure humaine fût plutôt représentée de profil, la Gorgone n'a pas de profil, elle est toujours présentée comme un disque plat, privé de troisième dimension – non comme un visage réel, donc, mais comme une image absolue, une chose qui peut seulement se voir et se présenter. Le *gorgonéion,* qui représente l'impossibilité de la vision, est ce qu'on ne saurait ne pas voir.

Mais il y a plus. Frontisi-Ducroux fait un parallèle entre cette frontalité, qui déroge à la convention de la peinture sur vase, et l'apostrophe, figure de rhétorique où l'auteur, brisant la convention narrative, s'adresse à un personnage ou directement au public. Ainsi l'impossibilité de la vision — dont Gorgo est la signature — contient-elle quelque chose comme une apostrophe, un appel auquel on ne saurait se soustraire.

Alors, appliqué au musulman, « celui qui a vu la Gorgone » n'est pas une désignation simple. Si voir la Gorgone signifie : voir l'impossibilité de voir, alors la Gorgone ne nomme pas une chose qui réside ou advient dans le camp, une chose que le musulman, à la différence du rescapé, aurait vue. Elle désigne plutôt l'impossibilité de voir propre à qui habite le camp, à qui, dans le camp, « a touché le fond », est devenu un non-homme. Le musulman n'a rien vu ni connu — sinon l'impossibilité de voir et de connaître. Et c'est pourquoi témoigner pour le musulman, s'efforcer de contempler l'impossibilité de voir, n'est pas une tâche facile.

Qu'au « fond » de l'humain il n'y ait rien d'autre qu'une impossibilité de voir — voilà la Gorgone, dont la vision a transformé l'homme en non-homme. Mais que précisément cette inhumaine impossibilité de voir soit ce qui appelle et interpelle l'humain, l'apostrophe à laquelle l'homme ne peut se dérober — voilà le témoignage, et il n'est rien d'autre. La Gorgone et celui qui l'a vue, le musulman et celui qui témoigne pour lui, c'est un seul regard, une seule impossibilité de voir.

2.8

Que l'on ne puisse qualifier les musulmans, à proprement parler, de « vivants », tous les témoignages le confirment. Améry (p. 32) et Bettelheim (1, p. 293) les définissent comme des « cadavres ambulants ». Carpi les appelle « morts vivants » et « hommes momies » (p. 17) ; « on hésite à les appeler des vivants » (Levi, 3, p. 97). « On finit par confondre les vivants et les morts », écrit un témoin de Bergen-Belsen. « C'est qu'au fond, la différence est minime ; nous autres, des squelettes encore en mouvement et eux – des squelettes immobilisés. Mais il y a encore une troisième catégorie : ceux qui, allongés sans plus pouvoir bouger, respirent encore un peu. » (Sofsky, p. 400.) « Présences sans visage » ou « larves », ils résident en tout cas « aux confins de la vie et de la mort » – comme le rappelle le titre de l'étude que Ryn et Klodzinski ont consacrée au musulman, la seule monographie existant à ce jour.

Mais à cette image biologique s'en adjoint sur-le-champ une autre, qui semble même en détenir le véritable sens. Le musulman n'est pas seulement, ou pas tant, une limite entre la vie et la mort ; il marque le seuil entre l'homme et le non-homme.

Là aussi, les témoignages concordent. « Eux, les non-hommes en qui l'étincelle divine s'est éteinte. » (Levi, 3, p. 96.) « Ils renonçaient à toute réaction et devenaient des objets. Du même coup, ils renonçaient à leur qualité de personne. » (Bettelheim, 3, p. 207.) Il se trouve donc un point où l'homme, en gardant son apparence d'homme, cesse d'être humain. Ce point, c'est le musulman, et le camp est son lieu par excellence. Mais que veut dire, pour un homme, devenir un non-homme ? Existe-t-il une humanité de l'homme que l'on puisse distinguer et séparer de son humanité biologique ?

2.9

L'enjeu, dans la « situation extrême », est donc de « demeurer un être humain », de ne pas devenir un musulman. Le mouvement naturel et général est d'interpréter cette expérience limite en termes moraux. Il s'agirait, autrement dit, de parvenir à conserver la dignité et le respect de soi – même si, dans le camp, ceux-ci ne peuvent pas toujours se traduire dans les actes qui conviennent. Bettelheim semble suggérer quelque chose de ce genre quand il parle d'un « point de non-retour » au-delà duquel le déporté devient un musulman :

« Si l'on voulait survivre en tant qu'homme, avili et dégradé mais tout de même humain, et ne pas devenir un cadavre ambulant, il fallait avant tout prendre conscience de ce qui constituait le point de non-retour individuel, au-delà duquel on ne devait en aucun cas céder à l'oppresseur, même au risque de sa vie. [...] Cela impliquait qu'on eût conscience qu'au-delà de ce seuil, la vie aurait perdu tout son sens. On survivrait, non pas avec un respect de soi amoindri, mais sans en avoir aucun. » (Bettelheim, 3, p. 213.)

Certes, Bettelheim se rend bien compte que dans la situation extrême la marge de liberté et de choix réel était quasi nulle, se réduisait souvent au degré d'assentiment intérieur avec lequel on obéissait à un ordre.

« Cette conscience et cette lucidité dans l'action, tout en ne modifiant pas la nature de l'acte exigé, sinon dans des cas extrêmes, constituaient la marge minimale et la liberté de jugement qui permettaient au prisonnier de demeurer un être humain. C'était le renoncement à toute réaction affective, à toute réserve intérieure, l'abandon d'un point de non-retour que l'on défendrait coûte que coûte, qui transformait le prisonnier en "musulman". [...] Les prisonniers qui l'avaient pleinement compris s'apercevaient que c'était cela, et uniquement cela, qui constituait la différence cruciale entre préserver son humanité (et souvent la vie elle-même) et accepter de mourir moralement (ce qui entraînait souvent la mort physique) » (p. 214).

Le musulman est donc, pour Bettelheim, celui qui a renoncé à sa marge irréductible de liberté et ne porte, en conséquence, plus trace de vie affective ni d'humanité. Ce franchissement du « point de non-retour » constitue une expérience si bouleversante, devient tellement pour lui le critère moral de l'humain et du non-humain, que Bettelheim en perd, comme témoin, le sens de la pitié, et même sa lucidité, allant jusqu'à confondre ce qui ne devrait en aucun cas être confondu. Ainsi Hoess, commandant d'Auschwitz exécuté en Pologne en 1947, se transforme-t-il à ses yeux en une espèce de musulman « bien nourri et bien habillé » :

« Même si la mort physique ne survint que plus tard, à partir du moment où il prit la direction d'Auschwitz il devint un cadavre vivant. Il n'était pas un "musulman" parce qu'il était bien nourri et bien habillé. Mais il s'était dépouillé si totalement de respect de soi, d'amour-propre, de sentiments et de personnalité qu'il n'était plus guère qu'une machine dont ses supérieurs manœuvraient les boutons de commande » (p. 307).

Le musulman lui-même devient pour lui une improbable et monstrueuse machine biologique, ayant perdu non seulement sa conscience morale mais jusqu'à sa sensibilité et son excitabilité nerveuse :

« On peut se demander si ces organismes avaient réussi à exclure le phénomène de l'arc réflexe menant des stimuli externes ou internes, par les lobes frontaux, à la sensation et à l'action » (p. 207). « Les prisonniers devenaient des "musulmans" lorsque rien n'éveillait plus d'émotion en eux. [...] Malgré leur faim, le stimulus n'atteignait plus leur cerveau sous une forme suffisamment claire pour provoquer l'action. [...] Les autres prisonniers s'efforçaient souvent d'être bons avec eux quand ils le pouvaient, de leur donner à manger, mais les "musulmans" n'arrivaient plus

à répondre à la sympathie que ces actes manifestaient »
(p. 211).

Le principe selon lequel « personne ne veut voir le musulman » s'applique ici au rescapé lui-même : non seulement il falsifie son propre témoignage (tous les autres témoins s'accordent sur le fait que, dans les camps, nul ne se montrait « bon avec les musulmans »), mais il transforme à son insu des êtres humains en un paradigme irréel, une machine végétative dont l'unique fonction est de permettre de distinguer, quel qu'en soit le prix, ce qui dans le Lager est devenu indiscernable : l'humain et l'inhumain.

2.10

Que signifie « rester un homme » ? Que la réponse est difficile, que la question elle-même exige d'être méditée, l'exhortation du rescapé le dit implicitement : « Considérez si c'est un homme. » Ce n'est pas à proprement parler d'une question qu'il s'agit, mais d'une injonction (« Je vous l'ordonne : gravez ces mots dans votre cœur », Levi, 2, p. 9) qui met en cause la forme même de la question. Comme si la dernière chose qu'on pouvait espérer ici était une réponse affirmative ou négative.

Il s'agit plutôt de faire reculer si loin la signification du mot « homme » que le sens même de la question s'en trouve complètement modifié. Chose curieuse, le témoignage de Levi et celui d'Antelme, publiés la même année (1947), paraissent dialoguer ironiquement à ce sujet dès leur titre : *Si c'est un homme, L'Espèce humaine.* Pour Antelme, ce qui était en question dans les camps était la revendication « presque biologique » d'une appartenance à l'espèce humaine, le sentiment ultime d'appartenir à une espèce : « La mise en question de la qualité d'homme provoque une revendication presque biologique d'appartenance à l'espèce humaine » (Antelme, p. 11).

Il importe qu'il se serve ici du terme technique d'« espèce » et non de cet autre, qui concluait le refrain d'une chanson sûrement connue de lui : « le genre humain ». Car c'est d'appartenance biologique au sens strict qu'il s'agit (le *presque* n'est qu'une sorte d'euphémisme, à peine un scrupule en face de l'inouï), et non d'une profession de solidarité morale ou politique. Or c'est justement cela qu'il faut « considérer » – et pas du tout, comme semble le croire Bettelheim, une question de dignité. La tâche est d'autant plus obscure, d'autant plus immense, qu'elle coïncide avec celle qu'imposaient les SS ; elle oblige à prendre à la lettre la loi du camp : « Des porcs, non des hommes ».

« Les héros que nous connaissons, de l'histoire ou des littératures, qu'ils aient crié l'amour, la solitude, l'angoisse de l'être ou du non-être, la vengeance, qu'ils se soient dressés contre l'injustice, l'humiliation, nous ne croyons pas qu'ils aient jamais été amenés à exprimer comme seule et dernière revendication un sentiment ultime d'appartenance à l'espèce. Dire que l'on se sentait alors contesté comme homme, comme membre de l'espèce, peut apparaître comme un sentiment rétrospectif, une explication après coup. C'est cela cependant qui fut le plus immédiatement et constamment sensible et vécu, et c'est cela d'ailleurs, exactement cela, qui fut voulu par les autres. » (Antelme, p. 11.)

Quel est le sentiment « ultime » d'appartenance à l'espèce humaine ? Existe-t-il même quelque chose comme un tel sentiment ? Chez le musulman, beaucoup semblent ne chercher que la réponse à cette question.

2.11

Levi commence à témoigner une fois la déshumanisation accomplie, et seulement quand parler de dignité n'a plus de sens. Il est le seul à se proposer expressément de témoigner pour les musulmans, pour les engloutis, pour les démolis, pour ceux qui ont touché le fond. Du reste, que tout le monde, à Auschwitz, ait d'une façon ou d'une autre dépouillé la dignité humaine, de nombreux témoignages le laissent entendre. Mais nulle part aussi clairement, peut-être, que dans le passage de *Les Naufragés et les Rescapés* où Levi évoque l'étrange désespoir qui saisit les prisonniers à l'heure de la libération : « en ce moment où nous nous sentions redevenir des hommes, c'est-à-dire des êtres responsables » (Levi, 2. p. 69). Ainsi le rescapé connaît-il la nécessité commune de la déchéance ; il sait qu'humanité et responsabilité sont des choses que le déporté a dû abandonner à la porte du camp.

Sans doute, il importe que quelqu'un – Chajim le pieux, Szabò le taciturne, Robert le sage, Baruch le courageux – n'ait pas cédé. Mais ce n'est pas pour eux, pour les « meilleurs », que l'on témoigne. Et même s'ils n'étaient pas morts – « les meilleurs sont tous morts » (p. 81) –, ils n'auraient pas joué le rôle de témoins, n'auraient pu témoigner du camp. D'autre chose, peut-être – de leur propre foi, de leur propre vertu (et c'est bien ce qu'ils ont fait en mourant) –, mais non du camp. Les « témoins intégraux », ceux-là au nom de qui témoigner a un sens, sont ceux « qui avaient déjà perdu la force d'observer, de se souvenir, de prendre la mesure des choses et de s'exprimer » (p. 83), ceux pour lesquels parler de dignité et de décence serait indécent.

Lorsqu'un ami cherche à le convaincre que sa survie a un sens providentiel, qu'il est « marqué d'un signe, un élu » (p. 80), Levi s'insurge avec dédain (« cette opinion me parut monstrueuse », p. 81), comme si l'ambition de préserver à Auschwitz un bien reconnaissable, de le sauver du camp pour l'emporter au-delà, dans le monde normal, était inconvenante et suspecte. C'est aussi en ce sens qu'il faut entendre la thèse selon laquelle ceux qui survivent « ne sont pas les meilleurs, les prédestinés au bien, les porteurs d'un message » (p. 81). Pires, les rescapés ne le sont pas seulement comparés aux meilleurs, à ceux que leurs vertus ont rendus moins adaptés, mais aussi comparés à la masse anonyme des engloutis, dont la mort même n'a plus de nom. Car telle est l'aporie éthique propre à Auschwitz : un lieu où il est indécent de rester décent, où ceux qui ont cru conserver leur dignité et leur respect de soi n'éprouvent que honte devant ceux qui les ont sur-le-champ perdus.

2.12

Cette honte d'avoir conservé sa décence et sa dignité, il en existe une description célèbre. C'est la rencontre de Malte avec les clochards des rues de Paris, quand il s'aperçoit que ceux-ci, malgré son apparente dignité et son col amidonné, le reconnaissent comme un des leurs, lui lancent des signes de connivence.

« Mon faux col est propre, c'est vrai, mon linge aussi, et je pourrais, tel que je suis, aller dans la première pâtisserie venue, au besoin sur les Grands Boulevards, et avancer tranquillement la main vers une assiette de gâteaux, et en prendre un. Personne ne trouverait là rien de choquant, personne ne me réprimanderait ni ne me mettrait à la porte, car c'est malgré tout une main des bons milieux, une main qu'on lave quatre ou cinq fois par jour. [...] Mais il y a malgré tout quelques existences, sur le boulevard Saint-Michel, qui ne s'en laissent pas accroire et qui se moquent pas mal de leurs poignets. Ils savent qu'au fond je suis des leurs et que je me contente de jouer un peu de comédie. [...] Et ils ne cherchent pas à gâter mon plaisir ; ils se contentent d'un rictus et d'un clignement de l'œil. [...] Qui sont donc ces gens-là ? Que veulent-ils de moi ? Sont-ils là à m'attendre ? À quoi me reconnaissent-ils ? [...] Car il est bien clair que ce ne sont pas seulement des mendiants, ce sont des réprouvés ; non, ce ne sont pas du tout des mendiants, il faut savoir faire la différence. Ce sont des déchets, des pelures d'hommes, que le destin a recrachés. Encore humides de la salive du destin, ils restent collés aux murs, aux réverbères, aux colonnes de publicité, ou bien ils s'écoulent lentement le long des rues, en laissant derrière eux leur trace sombre et sale. [...] Qu'est-ce qui a poussé [...] cette petite femme grisâtre à rester tout un quart d'heure à côté de moi devant un étalage en me montrant un vieux crayon, qu'elle faisait glisser très lentement entre ses pauvres mains closes ? Je faisais semblant de regarder les objets exposés et de ne rien remarquer. Mais elle savait bien que je l'avais vue, elle savait bien que je restais là à me demander ce qu'elle allait faire. Car je comprenais bien qu'il ne s'agissait pas du crayon : je sentais que c'était un signe, un signe réservé aux initiés, un signe que connaissent les réprouvés ; je pressentais qu'elle voulait me faire comprendre que je devais aller quelque part ou faire quelque chose. Et le plus étrange était que je ne pouvais me débarrasser de l'impression qu'il existait en effet entre nous une sorte d'accord tacite, dont ce signe faisait partie, et que cette scène était au fond quelque chose à quoi j'aurais dû m'attendre. [...] Maintenant il ne se passe plus de jour sans une rencontre de cette espèce. Pas seulement dans la pénombre du crépuscule, mais aussi en plein midi, dans les rues les plus fréquentées, un petit homme ou une vieille femme sont soudain là à me faire un signe de tête, à me montrer quelque chose et à disparaître, comme s'ils avaient fait tout ce qu'on attendait d'eux. Il n'est pas impossible qu'ils aient un jour l'idée de venir jusque chez moi ; ils savent certainement où j'habite et ils s'arrangeront bien pour que le concierge les laisse passer. » (Rilke, 1, p. 53-55.)

Ce qui nous intéresse ici, ce n'est pas tant que Malte mime à la perfection l'ambiguïté foncière du geste rilkéen, partagé entre la conscience d'avoir abandonné toute figure reconnaissable de l'humain et la tentative panique d'échapper à cette condition, de sorte que chaque descente dans l'abîme devient pour lui un préalable à l'inévitable ascension vers les hauts lieux de la poésie et de la noblesse. Le fait décisif, c'est plutôt que Malte, face aux « réprouvés », s'avise que sa dignité est un masque inutile, qu'elle peut seulement susciter chez eux « un rictus et un clignement de l'œil ». Et que leur vue, l'intimité qu'ils revendiquent, est pour Malte si intolérable qu'il en vient à craindre de les voir un jour se présenter chez lui pour le couvrir de honte. Aussi va-t-il se réfugier chez ses poètes, à la Bibliothèque nationale, où les réprouvés n'entreront pas.

Jamais peut-être, avant Auschwitz, le naufrage de la dignité devant une figure extrême de l'humain et l'inutilité du respect de soi face à l'absolue déchéance ne furent décrits plus fortement. Un fil subtil lie les « pelures d'hommes » qui effraient Malte aux « hommes-coquilles » dont parle Levi. Et la petite honte du jeune poète face aux clochards parisiens est une silencieuse estafette annonçant la grande honte, la honte inouïe des rescapés devant les engloutis.

2.13

Dans son paradoxe, la situation éthique du musulman mérite réflexion. Il n'est pas tant, comme le croit Bettelheim, le signe du point de non-retour, du seuil au-delà duquel on cesse d'être des humains. De la mort morale, donc, contre quoi l'on doit résister de toutes ses forces pour sauver son humanité et le respect de soi – voire sa vie même. Pour Levi, le musulman est plutôt le lieu d'une expérimentation par laquelle la morale elle-même, l'humanité elle-même sont remises en question. Il constitue une figure limite d'un genre particulier, en quoi non seulement des catégories comme la dignité et le respect, mais jusqu'à l'idée d'une limite éthique perdent leur sens.

Il est clair, en effet, que si l'on fixe une limite au-delà de laquelle on cesse d'être des hommes, et que tous les hommes ou la majorité d'entre eux la franchissent, alors cela prouve moins l'inhumanité des humains que l'insuffisance et l'abstraction de la limite en question. Imaginons, maintenant, que les SS aient laissé pénétrer dans le camp un prédicateur, et que celui-ci s'efforce par tous les moyens de convaincre les musulmans qu'il faut, même à Auschwitz, conserver dignité et respect de soi. La démarche de cet homme serait odieuse, et son prêche, un affront atroce pour qui se trouve désormais hors d'atteinte et de toute persuasion et de toute aide humaines (« ils étaient presque toujours au-delà de tout secours », Bettelheim, 3, p. 212). C'est bien pourquoi les déportés ont d'emblée renoncé à parler au musulman, comme si le silence, le regard détourné étaient jusqu'à nouvel ordre la seule attitude convenable à l'égard de ceux qu'aucun secours ne peut atteindre.

Le musulman s'est avancé dans une zone de l'humain – puisque lui dénier simplement son humanité reviendrait à entériner le verdict des SS, à répéter leur geste – où, pas plus qu'une aide extérieure, dignité et respect de soi ne sont plus d'aucune utilité. Mais, s'il est une zone de l'humain où ces concepts n'ont pas de sens, alors il ne s'agit pas de concepts éthiques authentiques, car aucune éthique ne peut se permettre de laisser hors de soi une part de l'humain, si ingrate soit-elle, si pénible à regarder.

2.14

Il y a quelques années, en provenance d'un pays d'Europe qui, concernant Auschwitz, avait plus qu'un autre la conscience chargée, une doctrine se répandit dans les milieux universitaires, qui prétendait avoir découvert une sorte de condition transcendantale de l'éthique sous les espèces d'un principe de communication obligatoire. Selon cette curieuse théorie, un être parlant ne peut se soustraire en aucune façon à la communication. Dans la mesure où, à la différence des animaux, ils sont doués de langage, les êtres humains se trouvent pour ainsi dire condamnés à s'accorder sur les critères de sens et de validité de leur action. Qui déclare ne pas vouloir communiquer se réfute soi-même, car il aura toujours communiqué sa volonté de ne pas communiquer.

Dans l'histoire de la philosophie, ce type d'argument n'est pas neuf. Il signale le point où le philosophe se trouve en difficulté, où il sent le sol familier du langage se dérober sous ses pieds. Aristote déjà, au moment de prouver, dans le livre *Gamma* de la *Métaphysique* (1006 a), « le plus ferme de tous les principes », le principe de non-contradiction, se voit contraint d'y recourir.

« Certains réclament une démonstration même pour ce principe, mais c'est par une grossière ignorance. [...] Il est absolument impossible de tout démontrer : on irait à l'infini, de telle sorte que, même ainsi, il n'y aurait pas de démonstration. [...] Il est cependant possible d'établir par réfutation [le principe de non-contradiction], pourvu que l'adversaire dise seulement quelque chose. S'il ne dit rien, il est ridicule de chercher à discuter avec quelqu'un qui ne peut parler de rien : un tel homme, en tant que tel, est dès lors semblable à une plante. »

Dans la mesure où elles se fondent sur un présupposé tacite (en l'occurrence, que quelqu'un doive parler), toutes les réfutations laissent forcément un reste, sous la forme d'une exclusion. Dans le cas d'Aristote, le reste exclu est l'homme-plante, l'homme qui ne parle pas. Il suffit, en effet, que l'adversaire se taise, radicalement et simplement, pour que la réfutation perde toute pertinence. Non pas que l'homme puisse revenir sur son entrée dans le langage à sa guise. Mais le fait est que la simple acquisition de la faculté de communiquer n'oblige en rien à parler ; autrement dit, la pure préexistence du langage comme instrument de communication – le fait que, pour le parlant, il y a toujours déjà une langue – ne contient en soi nulle obligation de communiquer. Bien au contraire, c'est seulement si le langage n'est pas déjà communication, seulement s'il témoigne pour quelque chose dont on ne peut témoigner, que le parlant peut éprouver quelque chose comme une nécessité de parler.

Auschwitz est la réfutation radicale de tout principe de communication obligatoire. Non seulement parce que, selon le témoignage constant des rescapés, vouloir pousser un Kapo ou un SS à communiquer valait souvent des coups de bâton, ou parce que, comme le rappelle Marsalek, la communication était remplacée dans certains Lager par le nerf de bœuf, qu'on rebaptisait ironiquement, pour cette raison, *der Dolmetscher,* « l'interprète ». Non parce que le « non-parlé » était la condition ordinaire du camp, où « votre langue se dessèche en quelques jours, et, avec la langue, la pensée » (Levi, 2, p. 92). L'objection décisive est ailleurs. C'est, encore une fois, le musulman. Imaginons un instant que nous puissions introduire dans le camp, grâce à quelque machine à remonter le temps, le professeur Apel, et que nous le conduisions devant un musulman en le priant de bien vouloir vérifier là aussi son éthique de la communication. Je crois qu'il vaut bien mieux, à tout point de vue, débrancher la machine et renoncer à l'expérience. Le risque est en effet, malgré toutes les bonnes intentions, de voir le musulman une fois de plus exclu de l'humanité. Le musulman est la réfutation radicale de toute réfutation, la destruction de ces ultimes bastions métaphysiques qui se maintiennent tant bien que mal sans preuve directe, en niant leur négation.

2.15

Que le concept de dignité a lui aussi une origine juridique, voilà qui ne doit plus nous surprendre. Il ressortit, quant à lui, à la sphère du droit public. Dès l'époque de la République, le terme latin de *dignitas* indique le rang et l'autorité qui reviennent aux charges publiques et, par extension, ces charges elles-mêmes. On parle ainsi d'une *dignitas equestre, regia, imperatoria.* À cet égard, la lecture du livre XII du *Codex Iustinianus,* sous la rubrique *De dignitatibus,* est fort instructive. Il vise à ce que l'ordre des diverses « dignités » (non seulement celles, traditionnelles, des sénateurs et des consuls, mais encore celles du préfet au prétoire, du préposé au cubiculum sacré, des maîtres des écrins, des décans, des épidémétiques, des métats et autres grades de la bureaucratie byzantine) soit respecté dans les moindres détails, et veille à ce que l'accès aux charges (la *porta dignitatis*) soit fermé à ceux dont la vie n'est pas conforme au rang correspondant (si par exemple ils ont été frappés de censure ou d'infamie). Mais la construction d'une véritable théorie de la dignité fut l'œuvre des juristes et canonistes médiévaux. Comment la science juridique se noue ici étroitement à la théologie pour énoncer l'un des principes cardinaux de la théorie de la souveraineté – le caractère perpétuel du pouvoir politique –, Kantorowicz l'a montré dans un livre désormais classique. La dignité s'affranchit de son porteur et devient une personne fictive, une sorte de corps mystique adjoint au corps réel du magistrat ou de l'empereur, comme la personne divine double le corps humain du Christ. Cette émancipation culmine dans le principe, mille fois répété par les juristes médiévaux, selon lequel « la dignité ne meurt jamais » (*dignitas non moritur,* « le Roi ne meurt jamais »).

La séparation et, en même temps, le lien intime entre la dignité et son porteur incarné sont mis en pleine lumière par les doubles funérailles de l'empereur romain (plus tard celles des rois de France). Une sculpture de cire du souverain mort, représentant sa « dignité », était alors traitée comme une personne réelle, recevait des soins, des honneurs, puis elle était brûlée lors d'un solennel rite funèbre (*funus imaginarium*).

Parallèlement à l'œuvre des juristes s'accomplit celle des canonistes. Ceux-ci bâtirent une théorie analogue des diverses « dignités » ecclésiastiques, laquelle culmine dans les traités *De dignitate sacerdotum,* à l'usage des célébrants. D'une part, on y élève le rang du prêtre – dans la mesure où son corps, pendant la messe, devient le lieu de l'incarnation du Christ – au-dessus de celui des anges ; d'autre part, on y insiste sur l'éthique de la dignité, c'est-à-dire sur la nécessité pour le prêtre d'adopter une conduite à la hauteur de sa condition (s'abstenir de la *mala vita,* et par exemple ne pas manier le corps du Christ après avoir touché les *pudenda* féminins). Et, comme la dignité publique survivait à la mort sous forme d'image, la sainteté sacerdotale survit dans la relique (« dignités » nomme, surtout dans le domaine linguistique français, les reliques du corps saint).

Quand le terme de « dignité » fit son apparition dans les traités de morale, celle-ci n'eut

qu'à transcrire point par point – pour l'intério-
riser – le modèle juridique. De même que le
comportement et l'apparence du magistrat ou
du prêtre (la *dignitas* a toujours désigné aussi
l'aspect physique seyant à une condition éle-
vée ; elle est, selon les Romains, ce qui chez
l'homme répond à la *venustas* féminine)
devaient s'accorder à leur rang, de même cette
forme en creux de la dignité se trouve à présent
spiritualisée par la morale, usurpant la place et
le nom de l'absente « dignité ». Et, comme le
droit avait affranchi de son porteur le rang de
la *persona ficta*, la morale – selon un mouvement inverse, en miroir – libère de la posses-
sion d'une charge la conduite du particulier.
Digne est alors la personne qui, fût-elle privée
de dignité publique, se comporte en tout
comme si elle en possédait une. La chose est
évidente pour ces classes qui, après la chute de
l'Ancien Régime, ont perdu jusqu'aux dernières prérogatives publiques que la monarchie
absolue leur avait laissées. Mais également,
plus tard, pour les classes dangereuses, exclues
par définition de toute dignité politique, auxquelles des éducateurs en tout genre se mirent
à faire la leçon sur la dignité et l'honnêteté des
pauvres. Les unes comme les autres se voient
contraintes de se conformer à une dignité
absente. Cela va souvent jusqu'à une correspondance littérale : *dignitatem amittere* ou
servare, qui indiquaient la perte ou le renou-
vellement d'une charge, signifient désormais le

fait d'abandonner ou de conserver sa dignité, de sacrifier ou de sauver, sinon un rang, du moins son apparence.

Les nazis eux-mêmes ont usé, pour qualifier la condition juridique des juifs après les lois raciales, d'un terme qui concerne la dignité : *entwürdigen.* Le juif est l'homme privé de toute *Würde*, de toute dignité : homme tout court – et, par là même, non-homme.

2.16

Qu'il y a des zones, des situations où la dignité n'a pas lieu d'être, on l'a toujours su. L'une d'elles est l'amour. L'amoureux peut être tout sauf digne, de même qu'il est impossible de faire l'amour en conservant sa dignité. Les Anciens en étaient tellement convaincus qu'ils tenaient le nom même du plaisir sexuel pour incompatible avec la dignité (*verbum ipsum voluptatis non habet dignitatem*) et rangeaient la thématique amoureuse dans le genre comique (Servius nous informe que le livre IV de l'*Énéide,* qui émeut le lecteur moderne jusqu'aux larmes, était considéré comme un parfait exemple de style comique).

Il y a de bonnes raisons pour qu'amour et dignité soient inconciliables. Dans le cas de la *dignitas* juridique comme dans celui de sa transposition morale, la dignité constitue quelque chose d'autonome par rapport à l'existence de son porteur, un modèle intérieur ou une image extérieure à quoi il doit se conformer et qu'il doit conserver à tout prix. Mais, dans les situations extrêmes – et l'amour est, à sa façon, une situation extrême –, il n'est plus possible de maintenir la moindre distance entre la personne réelle et son modèle, entre vie et norme. Et non parce que la vie ou la norme, l'intérieur ou l'extérieur, l'emporteraient ici tour à tour, mais parce qu'ils se confondent en tout point, ne laissant plus de marge pour un digne compromis. (Paul le sait parfaitement, qui définit l'amour, dans l'Épître aux Romains, comme l'accomplissement de la loi et sa fin.)

Et c'est aussi pour cette raison qu'Auschwitz signe l'arrêt de mort de toute éthique de la dignité ou de l'adéquation à une norme. La vie nue, à quoi l'homme se trouve réduit, n'exige rien, ne se conforme à rien : elle est soi-même l'unique norme, est absolument immanente. Et le « sentiment ultime d'appartenance à l'espèce » ne constitue en aucun cas une dignité.

Le bien – si parler de bien a ici un sens – que les rescapés parviennent à sauver du camp n'est pas la dignité. Tout au contraire, que l'on peut perdre la dignité et la décence à un point qui dépasse l'entendement, qu'il y a encore de la vie dans la déchéance la plus extrême – tel est l'affreux message que les survivants adressent depuis le camp à la terre des hommes. Et cette science nouvelle devient alors la pierre de touche pour juger et pour mesurer toute morale, toute dignité. Le musulman, qui en est la formulation la plus extrême, garde le seuil d'une éthique, d'une forme de vie qui commencent là où finit la dignité. Et Levi, qui témoigne pour les engloutis, qui parle pour eux, est le cartographe de cette nouvelle *terra ethica,* l'implacable arpenteur du *Muselmannland.*

2.17

Être entre la vie et la mort, tel est donc l'une des caractéristiques, évoquée bien souvent, du musulman, qualifié par antonomase de « cadavre ambulant ». Face à son visage biffé, à son agonie « orientale », les rescapés hésitent même à lui attribuer la simple dignité du vivant. Mais cette familiarité avec la mort peut avoir une autre signification, plus scandaleuse, qui concerne la dignité ou l'indignité de la mort plutôt que celles de la vie.

Comme toujours, c'est Levi qui trouve la formule la plus juste, et en même temps la plus terrible : « On hésite, écrit-il, à appeler mort leur mort » (Levi, 3, p. 97). La plus juste, car ce qui définit les musulmans, ce n'est pas tant que leur vie n'est plus une vie (ce type de déchéance vaut, en un sens, pour tous les détenus du camp, et ce n'est même pas une expérience inédite) ; c'est plutôt que leur mort n'est plus une mort. Que la mort d'un être humain ne puisse plus être dite une mort (non pas qu'elle n'ait pas d'importance – c'est arrivé ailleurs – mais que précisément le mot ne s'y applique plus), telle est l'horreur spécifique introduite dans le camp par le musulman, introduite par le camp dans le monde. Or cela veut dire – et c'est pourquoi la formule de Levi est terrible – que les SS avaient raison d'appeler *Figuren* les cadavres. Là où la mort ne peut plus se dire mort, les cadavres eux-mêmes ne peuvent plus se dire cadavres.

2.18

Que le camp ne se définit pas simplement par la négation de la vie, que ni la mort ni le nombre des victimes n'en épuisent aucunement l'horreur, que la dignité bafouée n'est pas celle de la vie, mais bien celle de la mort, on l'avait déjà observé. Dans un entretien accordé à Günther Gaus en 1964, H. Arendt a décrit en ces termes sa réaction quand la vérité sur les camps commença d'être connue dans ses moindres détails :

« Avant cela, on disait : bien, nous avons des ennemis. C'est tout à fait normal. Pourquoi n'aurions-nous pas d'ennemis ? Mais là, c'était autre chose. C'était vraiment comme si un abîme s'ouvrait. [...] Cela n'aurait pas dû arriver. Je ne parle pas seulement du nombre des victimes. Je parle de la méthode, la fabrication de cadavres et tout le reste. Inutile d'entrer dans les détails. Cela ne devait pas arriver. Il est arrivé là quelque chose avec quoi nous ne pouvons nous réconcilier. Aucun de nous ne le peut. » (Arendt, 2, p. 13-14.)

On dirait que chaque phrase, ici, est lourde d'un sens tellement pénible qu'il oblige celle qui parle à recourir à des formules à mi-chemin de l'euphémisme et de l'ineffable. En particulier, cette étrange expression, répétée avec une légère variation : « Cela n'aurait pas dû arriver », a comme une tonalité ressentimentale qui surprend chez l'auteur du livre le plus courageux et le plus démystificateur écrit en notre temps sur le mal. L'impression en est renforcée par les derniers mots : « Nous ne pouvons nous réconcilier avec cela. Aucun de nous ne le peut. » (Le ressentiment, disait Nietzsche, naît de l'impossibilité pour la volonté d'accepter que quelque chose soit arrivé, de son incapacité à se réconcilier avec le temps et son « ainsi fut-il ».)

Ce qui n'aurait pas dû arriver et qui pourtant est arrivé, la suite le précise, et il s'agit d'une chose tellement scandaleuse que Arendt, après l'avoir nommée, a comme un mouvement de recul et de honte (« Inutile d'entrer dans les détails ») : « La fabrication de cadavres et tout le reste ». La définition de l'extermination comme une sorte de production à la chaîne (*am laufenden Band*) fut proposée pour la première fois par un médecin des SS, F. Entress (Hilberg, p. 837) ; elle fut reprise et adaptée mille fois depuis, et pas toujours à bon escient.

Quoi qu'il en soit, l'expression « fabrication de cadavres » suppose qu'il ne s'agit plus de mort au sens propre du terme, que la mort dans les camps n'est plus la mort, mais quelque chose d'infiniment plus scandaleux. À Auschwitz, on ne meurt pas, on produit des cadavres. Des cadavres sans mort, des non-hommes dont le décès est rabaissé au rang de production en série. Et cette dégradation de la mort constituerait justement, selon une interprétation possible et assez répandue, le scandale spécifique d'Auschwitz, le nom propre de son horreur.

2.19

Que le problème éthique d'Auschwitz soit celui de l'avilissement de la mort, cela ne va pas de soi. À preuve les contradictions dans lesquelles se sont enferrés ceux qui ont abordé Auschwitz sous cet angle. Et avec eux les auteurs qui, bien avant Auschwitz, avaient dénoncé la dégradation de la mort propre à notre temps. Le premier d'entre eux fut Rilke, bien sûr, qui se trouve être ainsi, contre toute attente, la source plus ou moins directe de l'expression d'Entress sur la production à la chaîne de la mort dans les camps. « Aujourd'hui, on meurt dans cinq cent cinquante-neuf lits. Naturellement en série, comme à l'usine. Dans cette énorme production, la mort individuelle n'est pas aussi bien réussie, mais ce n'est pas cela qui importe. Ce qui compte, c'est la masse. » (Rilke, 1, p. 26.) Et, à la même époque, Péguy, dans un passage qu'Adorno devait exhumer à propos d'Auschwitz, dénonçait la perte de dignité de la mort dans le monde moderne : « Le monde moderne a réussi à avilir ce qu'il y a peut-être de plus difficile à avilir au monde, parce que c'est quelque chose qui a en soi, comme dans sa texture, une sorte particulière de dignité, comme une incapacité singulière à être avili : il avilit la mort. »

À la mort « en série » Rilke oppose la « mort propre » des heureux temps anciens, la mort que chacun portait en soi « comme un fruit, son noyau » (p. 27), la mort que « l'on possédait » et qui « conférait à chacun une singulière dignité et une paisible fierté ». Le *Livre de la pauvreté et de la mort,* écrit sous le choc du séjour parisien, est entièrement consacré à l'avilissement de la mort dans la métropole, où l'impossibilité de vivre devient impossibilité de faire mûrir le fruit de la mort propre, de la « grande mort que tout homme en soi porte » (2, p. 115). Mais ce qui frappe, c'est que, si l'on met de côté le recours constant à l'imagerie de l'enfantement et de l'avortement (« nous accouchons / du fruit mort-né de notre mort », p. 116) et à celle des fruits surs ou mûrs (« leur propre mort pend, verte et sans douceur, / comme un fruit qui en eux ne mûrira jamais » p. 115), la mort propre ne se distingue de son autre que par le plus abstrait, le plus formel des prédicats : dans l'opposition propriété/impropriété et intérieur/extérieur. Autrement dit, face à l'expropriation de la mort accomplie par la modernité, le poète réagit selon la logique freudienne du deuil : en intériorisant l'objet perdu. Ou comme dans le cas analogue de la mélancolie : en faisant apparaître comme exproprié un objet – la mort – pour lequel parler de propre ou d'impropre n'a simplement pas de sens. Ce qui rend « propre » la mort du chambellan Brigge dans son antique demeure d'Ullsgaard, que Malte décrit minutieusement comme exemple de mort « princière », rien ne nous le dit, sinon le fait qu'il meurt, justement, dans *sa* maison, entouré de *ses* domestiques et de *ses* chiens. La tentative rilkéenne de rendre à la mort sa « singulière dignité » laisse une impression d'indécence, au point que le rêve du paysan – achever le seigneur agonisant d'un coup de « fourche à fumier » – semble à la fin trahir un désir secret du poète.

2.20

De cette formule : « la fabrication de cadavres », Martin Heidegger, maître de Arendt à Fribourg au milieu des années vingt, s'était déjà servi en 1949 pour définir les camps d'extermination. Curieusement, la « fabrication de cadavres » impliquait là aussi – comme d'ailleurs chez Levi – que pour les victimes de l'extermination on ne pouvait parler de mort, qu'ils ne mouraient pas véritablement, qu'ils n'étaient que des pièces produites dans un processus de travail à la chaîne. « Ils meurent en masse, par centaines de milliers », répète le texte d'une conférence sur la technique prononcée par le philosophe à Brême sous le titre *Das Gefahr* (« Le Danger »).

« Ils meurent ? Ils périssent. Ils sont éliminés. Ils meurent ? Ils deviennent des produits manufacturés dans une fabrication de cadavres. Ils meurent ? Ils sont liquidés imperceptiblement dans les camps d'extermination. [...] Mais mourir [*sterben*] signifie : endurer la mort dans son être propre. Pouvoir mourir signifie : pouvoir cette endurance résolue. Et nous le pouvons seulement si notre être peut l'être de la mort. [...] Partout, l'immense malheur des innombrables et terribles morts non mortes [*ungestorbener Tode*], et pourtant l'essence de la mort est interdite à l'homme. » (Heidegger, 1, p. 56.)

À juste titre, on objecta au philosophe quelques années plus tard que, pour un auteur compromis, fût-ce de façon marginale, avec le nazisme, cette allusion rapide aux camps d'extermination était − après des années de silence − pour le moins inopportune. Ce qui est certain en tout cas, c'est que les victimes se voyaient dénier ainsi la dignité de la mort, condamnées à périr − selon une image rappelant celle des « morts avortées » de Rilke − d'une mort non morte. Mais une mort *morte,* une mort endurée dans son être, qu'est-ce que cela aurait pu vouloir dire dans le camp ? La distinction entre une mort propre et une impropre a-t-elle, à Auschwitz, le moindre sens ?

Le fait est que *Être et temps* confère à la mort une fonction éminente. Elle est le lieu d'une expérience décisive qui, sous le nom d'« être-pour-la-mort », exprime sans doute l'intention dernière de l'éthique heideggerienne. Car, dans la « décision » qui advient là, l'impropriété quotidienne, faite de bavardage, d'équivoques et de diversions, où l'homme se trouve toujours déjà jeté, se change en propriété ; et la mort anonyme, qui concerne toujours les autres et n'est jamais vraiment présente, devient la possibilité la plus propre et indépassable. Non que cette possibilité ait un contenu particulier, offre à l'homme quelque chose à être ou à réaliser. Bien au contraire, la mort, envisagée comme possibilité, est absolument vide, elle n'a aucun prestige spécial : elle est la simple *possibilité de l'impossibilité de tout comportement et de toute existence*. Mais, pour cette raison même, la décision qui éprouve radicalement, dans l'être-pour-la-mort, cette impossibilité et ce vide, se délivre de toute indécision, s'approprie pour la première fois intégralement son impropriété. Autrement dit, l'expérience de l'impossibilité incommensurable d'exister est ce par quoi l'homme, racheté de son fourvoiement dans le monde du On, rend possible pour soi son existence factice.

La situation d'Auschwitz dans la conférence

de Brême n'en est que plus remarquable. Le camp serait, de ce point de vue, le lieu où il est impossible de faire l'expérience de la mort comme possibilité la plus propre et indépassable, comme possibilité de l'impossible. Le lieu, donc, où il n'y a pas d'appropriation de l'impropre, où le règne factice de l'inauthentique ne connaît ni renversements ni exceptions. Et c'est pourquoi, dans les camps (comme en général, selon le philosophe, dans l'époque du triomphe inconditionnel de la technique), l'être de la mort est forclos, et les hommes ne meurent pas, mais se trouvent produits comme cadavres.

On peut pourtant se demander si l'influence du modèle rilkéen, qui séparait sommairement la mort propre de l'impropre, n'a pas conduit le philosophe à une impasse. Dans l'éthique de Heidegger, en effet, authenticité et propriété ne planent pas au-dessus de la quotidienneté inauthentique comme un règne idéal surplombant le réel ; ils ne sont rien d'autre qu'une « saisie modifiée de l'impropre », où ne se libèrent que les possibilités factices de l'existence. Selon le principe hölderlinien que Heidegger invoque souvent – « là où est le danger, là surgit ce qui sauve » –, il devrait justement y avoir, dans la situation extrême du camp, une appropriation et un rachat possibles.

La raison pour laquelle Auschwitz se voit interdire l'expérience de la mort doit donc être ailleurs, assez puissante pour mettre en cause la possibilité même de la décision authentique et saper le fondement de l'éthique heideggerienne. Le camp est en effet le lieu où toute distinction entre propre et impropre, entre possible et impossible, s'efface radicalement. Car, ici, le principe selon lequel le seul contenu du propre est l'impropre est vérifié exactement par son contraire, qui veut que le seul contenu de l'impropre soit le propre. Et de même que dans l'être-pour-la-mort l'homme s'approprie authentiquement l'inauthentique, de même, dans le camp, les déportés existent *quotidiennement et anonymement* pour la mort. L'appropriation de l'impropre n'est plus possible parce que l'impropre s'est chargé intégralement du propre et que les hommes vivent à chaque instant facticement pour leur mort. Cela signifie qu'à Auschwitz on ne peut plus faire de distinction entre la mort et le simple décès, entre mourir et « être liquidé ». « Quand on est libre, écrit Améry en songeant à Heidegger, il est possible d'élaborer des réflexions sur la mort qui ne soient pas des réflexions sur la manière de mourir, sur l'angoisse de l'agonie. » (Améry, p. 44.) Dans le camp, c'est exclu. Et non parce que, comme semble le suggérer Améry, la pensée du mode de la mort (par injection de phénol, par le gaz, par les fils électrifiés, par les coups) rendrait superflue la pensée de la mort comme telle. Mais parce que, là où la pensée de la mort a été matériellement réalisée, là où la mort est « vulgaire, bureaucratique et quotidienne » (Levi, 2, p. 145), la mort et le mourir, le mourir et ses modes, la mort et la fabrication de cadavres deviennent indifférents.

2.21

Grete Salus, une rescapée d'Auschwitz dont la voix sonne toujours juste, a écrit quelque part que « jamais l'homme ne devrait être obligé de supporter tout ce qu'il peut supporter et jamais l'homme ne devrait être obligé de voir que la souffrance poussée à la plus extrême puissance n'a plus rien d'humain » (Langbein, 1, p. 97). Il faut peser cette formule insolite, qui exprime parfaitement le statut modal unique du camp, sa réalité singulière, qui, selon le témoignage des rescapés, le rend absolument vrai en même temps qu'inimaginable. Si en effet, dans l'être-pour-la-mort, il s'agissait de créer le possible à travers l'expérience de l'impossible (la mort), ici c'est l'impossible (la mort en masse) qui se trouve produit à travers l'expérience intégrale du possible, à travers l'épuisement de son infinité. Le camp est à cet égard la vérification absolue de la politique nazie, laquelle, selon les mots mêmes de Goebbels, était précisément « l'art de rendre possible ce qui paraissait impossible » (*Politik ist die Kunst, das unmögliche Scheinende möglich zu machen*). Et c'est pourquoi, dans le camp, le geste le plus propre de l'éthique heideggerienne − appropriation de l'impropre, possibilisation de l'existant − est sans effet ; c'est pourquoi « l'essence de la mort est interdite à l'homme ».

Qui passe par le camp, qu'il y soit englouti ou qu'il y survive, supporte tout ce qu'il peut supporter − même ce qu'il ne voudrait ou ne devrait pas supporter. Mais cette « souffrance poussée à la plus extrême puissance », cet épuisement du possible « n'a plus rien d'humain ». La puissance humaine confine à l'inhumain, l'homme supporte jusqu'au non-homme. D'où le malaise des rescapés, ce « trouble continuel [...] qui ne porte pas de nom » en quoi Levi reconnaît l'angoisse héritée de la Genèse, « l'angoisse inscrite en chacun de nous du "tohu-bohu", de l'univers désert et vide, écrasé sous l'esprit de Dieu, mais dont l'esprit de l'homme est absent : ou pas encore né ou déjà éteint » (Levi, 2, p. 84). Cela veut dire que l'homme porte en soi le sceau de l'inhumain, que son esprit contient en son centre la blessure du non-esprit, du chaos non humain, atrocement livré à son être capable de tout.

Le malaise et le témoignage touchent non seulement à ce qui fut fait et souffert, mais à ce qu'on a *pu* faire et souffrir. C'est ce *pouvoir,* cette puissance presque infinie de souffrir qui sont inhumains − et non les faits, non les actions et omissions. Or c'est précisément l'expérience de ce *pouvoir* qui est refusée aux

SS. Les bourreaux répètent tous inlassablement qu'ils ne *pouvaient* pas faire autrement qu'ils n'ont fait, donc qu'ils ne *pouvaient* pas tout court, qu'ils devaient, un point c'est tout. Agir sans pouvoir agir se dit : *Befehlnotstand,* devoir obéir à un ordre. Ceux-là ont obéi *kadavergehorsam,* comme un cadavre, disait Eichmann. Certes, les bourreaux aussi ont dû supporter ce qu'ils n'auraient pas dû (ni, quelquefois, voulu) supporter ; mais, selon le mot si profond de Karl Valentin, « ils n'ont pas eu le cran de le pouvoir ». En cela ils sont restés « des hommes », ils n'ont pas fait l'expérience de l'inhumain. Jamais, peut-être, cette radicale incapacité de « pouvoir » ne fut exprimée avec autant de clarté aveugle que dans le discours de Himmler du 4 octobre 1943 :

> « Vous, dans votre majorité, vous devez savoir ce que c'est que 100 cadavres, l'un à côté de l'autre, ou bien 500 ou 1 000. D'avoir tenu bon, et, en même temps, à part quelques exceptions causées par la faiblesse humaine, d'être restés des honnêtes hommes, c'est ce qui nous a endurcis. C'est une page de gloire de notre histoire qui n'a jamais été écrite et qui ne le sera jamais. » (Hilberg, p. 871.)

Ce n'est donc pas un hasard si les SS se sont révélés incapables, presque sans exception, de témoigner. Tandis que les victimes témoignaient de leur inhumanisation, du fait qu'elles avaient supporté tout ce qu'elles *pouvaient* supporter, les bourreaux, torturant et assassinant, sont restés des « honnêtes hommes », ils n'ont pas supporté ce que pourtant ils pouvaient supporter. Et si la figure extrême de cette extrême puissance de souffrir est le musulman, on comprend pourquoi les SS n'ont pu le voir, encore moins témoigner pour lui.

« Ils étaient si faibles ; on leur faisait tout ce qu'on voulait. On n'avait rien en commun avec ces gens, aucune possibilité de communication – c'est de là que vient le mépris, je ne comprenais pas comment ils pouvaient se laisser faire. Récemment, j'ai lu un livre sur les lemmings, qui tous les cinq ou six ans se jettent à l'eau pour mourir ; ça m'a rappelé Treblinka. » (Sereny, p. 313.)

2.22

L'idée que le cadavre mérite un respect particulier, qu'il existe quelque chose comme une dignité de la mort, ne figure pas, en vérité, dans le patrimoine originel de l'éthique. Ses racines plongent plutôt dans la strate la plus archaïque du droit, celle qui se confond en tout point avec la magie. L'honneur et les soins rendus au corps du défunt avaient en effet pour but, à l'origine, d'empêcher l'âme du mort (ou plus exactement son image ou fantôme) de demeurer dans le monde des vivants comme une présence menaçante (la *larva* des Latins, l'*éidolon* ou le *phasma* des Grecs). Les rites funèbres servaient à transformer cet être gênant et incertain en puissant ancêtre allié, avec qui l'on entretenait des rapport cultuels bien définis.

Mais le monde archaïque connaissait aussi

des pratiques visant à rendre durablement impossible une telle conciliation. Parfois, il s'agissait seulement de neutraliser la présence hostile du fantôme, comme dans le terrible rituel du *mascalismos,* où les extrémités du corps d'une personne tuée (mains, nez, oreilles, etc.) étaient tranchées puis enfilées sur une cordelette que l'on faisait passer sous ses aisselles, afin que le mort ne puisse plus se venger de l'offense subie. La privation de sépulture (à l'origine du conflit tragique entre Antigone et Créon) était aussi une forme de vengeance magique exercée contre le corps du mort, condamné ainsi à demeurer une *larva,* à ne jamais trouver la paix. C'est pourquoi, dans le droit archaïque grec et romain, l'obligation des funérailles était si stricte qu'en l'absence d'un cadavre on exigeait l'inhumation d'un substitut, le *colosse,* double rituel du défunt (en général, une effigie de bois ou de cire).

Pour s'opposer fermement à ces pratiques magiques, on trouve d'une part le philosophe affirmant que « le cadavre doit se jeter comme les excréments » (Héraclite, fr. 96), d'autre part le précepte évangélique invitant à laisser les morts enterrer les morts (dont on retrouve l'écho, au sein de l'Église, dans le refus d'accomplir les rites funèbres propre à certains courants spirituels franciscains). On peut même dire que ce double héritage, à la fois solidaire et conflictuel – d'un côté magico-juridique, de l'autre philosophico-messianique –, a déterminé dès le départ l'ambivalence de notre culture à l'égard de la dignité de la mort.

Nulle part, peut-être, cette ambivalence n'apparaît avec plus de force que dans l'épisode des *Frères Karamazov* où le cadavre du *starets* Zosime dégage une puanteur insupportable. Car ici, les moines affolés devant la cellule du saint *starets* se partagent bien vite en deux camps : ceux – ils sont la majorité – qui, face à l'évident manque de dignité du mort, lequel se met sur-le-champ, au lieu de répandre une odeur de sainteté, à se décomposer de façon obscène, émettent des doutes sur la sainteté de sa vie, et ceux – rares – qui savent que du sort du cadavre on ne peut tirer aucune conclusion au plan éthique. Les relents de putréfaction qui flottent autour de la tête des moines incrédules préfigurent à leur façon l'odeur fétide que les cheminées des fours crématoires – les « voies du ciel » – répandaient dans les camps. Là aussi, cette puanteur est pour certains le signe de l'outrage suprême qu'Auschwitz a fait subir à la dignité des mortels.

2.23

L'ambiguïté du rapport que notre culture entretient avec la mort atteignit son paroxysme après Auschwitz. C'est particulièrement patent chez Adorno, qui voulut faire d'Auschwitz une sorte de ligne de partage des eaux historique, affirmant non seulement que « après Auschwitz on ne peut plus écrire de poème », mais encore que « toute culture consécutive à Auschwitz, y compris sa critique urgente, n'est qu'un tas d'ordures » (Adorno, 1, p. 287). D'un côté, il semble partager les considérations de Arendt et de Heidegger (pour qui, par ailleurs, il n'éprouve aucune sympathie) sur la « fabrication de cadavres », et parle d'une « production en masse » et d'une « réduction du coût de la mort » ; de l'autre, il moque avec une ironie féroce les prétentions de Rilke (et de Heidegger lui-même) concernant une mort propre.

> « La fameuse prière de Rilke, peut-on lire dans les *Minima Moralia,* où il demande à Dieu de donner à chacun sa mort personnelle, n'est qu'une lamentable duperie, pour cacher le fait que les hommes crèvent, un point c'est tout. » (Adorno, 2, p. 217.)

Cette oscillation trahit bien l'incapacité de la raison à identifier avec certitude le crime spécifique d'Auschwitz. On le condamne, de fait, sous deux chefs d'accusation apparemment contradictoires : d'une part, pour avoir assuré le triomphe inconditionnel de la mort sur la vie, d'autre part pour avoir dégradé, avili la mort. Aucune des deux imputations – et peut-être aucune autre, parce que toute imputation est un geste foncièrement juridique – ne parvient à épuiser l'outrage d'Auschwitz, à en saisir les tenants et aboutissants. Comme s'il y avait là une tête de Gorgone, qu'on ne peut – ni ne veut – voir à aucun prix, quelque chose de tellement inouï qu'on cherche à le rendre compréhensible en le rabattant sur des catégories à la fois plus extrêmes et plus familières : vie et mort, dignité et indignité. Entre elles, la vraie marque d'Auschwitz – le musulman, « nerf du camp », que « personne ne veut voir » et qui inscrit dans tout témoignage une lacune – flotte sans trouver de place définie. Il est littéralement la larve que notre mémoire s'épuise à ensevelir, l'incontournable avec qui nous devrons bien régler les comptes. Dans un cas, il se présente en effet comme le non-vivant, l'être dont la vie n'est pas vraiment la vie ; dans l'autre, comme celui dont la mort ne peut être dite mort, seulement fabrication de cadavres. Autrement dit, comme inscription dans la vie d'une zone morte, et, dans la mort, d'une zone vive. Dans les deux cas – puisque l'homme voit s'effilocher son lien avec ce qui fait de lui un humain, à savoir le caractère sacré de la mort et de la vie –, c'est l'humanité même de l'homme qui se trouve remise en question. Le musulman est le non-homme qui se présente obstinément comme homme, et l'humain qu'il est impossible de distinguer de l'inhumain.

S'il en est ainsi, que veut donc dire le rescapé quand il parle du musulman comme du « témoin intégral », le seul dont le témoignage aurait une signification générale ? Comment le non-homme pourrait-il témoigner pour l'homme, et celui qui ne peut par définition témoigner, être le vrai témoin ? Car le titre *Si c'est un homme* a certainement aussi ce sens : que le nom « homme » s'applique avant tout au non-homme, que le témoin intégral de l'homme est celui dont l'humanité fut intégralement détruite. Soit, que *l'homme est celui qui peut survivre à l'homme*. Si nous appelons « paradoxe de Levi » la thèse selon laquelle « le musulman est le témoin intégral », alors la compréhension d'Auschwitz – à supposer qu'elle soit possible – coïncidera avec celle du sens et du non-sens de ce paradoxe.

2.24

De cette dégradation de la mort en notre temps, Michel Foucault a proposé une explication en termes politiques, qui la relie à la transformation du pouvoir au sein de l'État moderne. Dans sa figure traditionnelle – celle de la souveraineté territoriale –, le pouvoir se définit essentiellement comme droit de vie et de mort. De par sa nature, ce droit est néanmoins asymétrique, en ce sens qu'il s'exerce surtout du côté de la mort et ne regarde la vie qu'indirectement, comme abstention du droit de tuer. C'est pourquoi Foucault caractérise la souveraineté par la formule : *faire mourir et laisser vivre*. Quand, à partir du XVIIe siècle, avec la naissance de la science policière, le soin de la vie et de la santé des sujets prend une place de plus en plus grande dans les mécanismes et calculs des États, le pouvoir souverain se transforme peu à peu en ce que Foucault nomme un « bio-pouvoir ». L'ancien droit de faire mourir et laisser vivre cède le pas à une figure inverse qui définit la biopolitique moderne, et que résume la formule : *faire vivre et laisser mourir.*

« Alors que, dans le droit de souveraineté, la mort était le point où éclatait, de la façon la plus manifeste, l'absolu pouvoir du souverain, la mort va être, au contraire, maintenant, le moment où l'individu échappe à tout pouvoir, retombe sur lui-même et se replie, en quelque sorte, sur sa part la plus privée. » (Foucault, 1, p. 221.)

D'où la disqualification progressive de la mort, qui perd son caractère de rite public auquel participaient non seulement les individus et les familles, mais, en un sens, la collectivité entière ; elle devient une chose à cacher, une espèce de honte privée.

La mort de Franco, où l'on a vu celui qui avait dans notre siècle le plus longtemps incarné l'ancien pouvoir souverain de vie et de mort tomber sous l'emprise du nouveau bio-pouvoir médical – lequel parvient si bien à « faire vivre » les hommes qu'il le fait même lorsqu'ils sont morts –, a été le point où les deux figures du pouvoir se télescopèrent. Mais, pour Foucault, ces deux pouvoirs, qui semblèrent un instant se nouer dans le corps même du dictateur, demeurent essentiellement hétérogènes, et leur séparation se traduit en une série d'oppositions conceptuelles (corps individuel/population, discipline/mécanisme de régulation, homme-corps/homme-espèce) qui définissent à l'aube de la modernité le passage d'un système à l'autre. Naturellement, Foucault sait que les deux pouvoirs, avec leurs techniques, peuvent dans certains cas s'associer étroitement ; ils n'en restent pas moins conceptuellement distincts. Or cette hétérogénéité devient problématique lorsqu'il s'agit d'analyser les grands États totalitaires de notre temps, et en particulier l'État nazi. Car en lui l'absolutisation sans précédent du bio-pouvoir de *faire vivre* se joint à une généralisation non moins absolue du pouvoir souverain de *faire mourir,* de sorte que biopolitique et thanatopolitique se confondent d'emblée. Cette coïncidence représente, dans la perspective de Foucault, rien de moins qu'un paradoxe, lequel exige, comme tout paradoxe, une explication. Comment un pouvoir dont le but est essentiellement de faire vivre en vient-il à exercer un pouvoir inconditionné de mort ?

On connaît la réponse que Foucault apportait à cette question dans son cours de 1976 au Collège de France : le racisme est précisément ce qui permet au bio-pouvoir de marquer dans le *continuum* biologique de l'espèce humaine des césures, réintroduisant ainsi dans le système du « faire vivre » le principe de la guerre.

« Dans le *continuum* biologique de l'espèce humaine, l'apparition des races, la distinction des races, la hiérarchie des races, la qualification de certaines races comme bonnes et d'autres, au contraire, comme inférieures, tout ceci va être une manière de fragmenter ce champ du biologique que le pouvoir a pris en charge ; une manière de décaler, à l'intérieur de la population, des groupes les uns par rapport aux autres. Bref, d'établir une césure qui sera de type biologique à l'intérieur d'un domaine qui se donne comme étant précisément un domaine biologique. » (Foucault, 1, p. 227.)

Tentons de poursuivre l'analyse de Foucault. La césure fondamentale qui partage le domaine biopolitique passe entre le *peuple* et la *population* ; elle fait émerger au sein même du peuple une population, autrement dit, elle transforme un corps essentiellement *politique* en un corps essentiellement *biologique,* dont il s'agit de contrôler et de réguler la natalité et la mortalité, la santé et la maladie. Avec la naissance du bio-pouvoir, chaque peuple se double d'une population, chaque peuple *démocratique* est en même temps *démographique.* Dans le Reich nazi, la législation de 1933 sur la « protection de la santé héréditaire du peuple allemand » marque cette césure originaire. La césure qui la suit de près distingue dans l'ensemble des citoyens ceux d'« ascendance aryenne » et ceux d'« ascendance non aryenne » ; une autre césure encore distinguera, parmi ces derniers, les juifs (*Volljuden*) des *Mischlinge* (personnes qui n'ont qu'un grand-parent juif, ou qui en ont deux mais ne pratiquent pas la religion juive et n'ont pas de conjoint juif à la date du 15 septembre 1935). Les césures biopolitiques sont, en effet, essentiellement mobiles ; elles isolent chaque fois dans le *continuum* de la vie une zone résiduelle, qui correspond à un processus d'*Entwürdigung,* de dégradation de plus en plus acharnée. Ainsi le non-aryen se change-t-il en juif, le juif en déporté (*umgesiedelt, ausgesiedelt*), le déporté en interné (*Häftling*), jusqu'au point où, dans le camp, les césures biopolitiques atteignent leur limite ultime. Cette limite est le musulman. En ce point où le *Häftling* devient un musulman, la biopolitique du racisme va, pour ainsi dire, au-delà de la race ; elle atteint un seuil où il n'est plus possible d'opérer des césures. Là, le lien fluctuant entre peuple et population se brise définitivement, et l'on voit émerger quelque chose comme une substance biopolitique absolue, inassignable, incésurable.

On comprend alors la fonction décisive des camps dans le système de la biopolitique nazie. Ils ne sont pas seulement le lieu de la mort et de l'extermination, mais aussi et surtout le lieu de production du musulman, de l'ultime substance biopolitique isolable dans le *continuum* biologique. Au-delà, il n'y a plus que la chambre à gaz. Et l'on saisit ici, d'un point de vue conceptuel, la différence – en même temps que le lien – entre camp de concentration et camp d'extermination. Le camp de concentration est destiné à la production du musulman ; le camp d'extermination, à la production pure et simple de la mort. Ce n'est donc pas un hasard si à Auschwitz les deux camps se touchent.

En 1937, lors d'un congrès secret, Hitler formule pour la première fois un concept biopolitique extrême, qui mérite réflexion. Parlant de l'Europe centrale, il déclare qu'il a besoin d'un *volkloser Raum*, d'un espace sans peuple. Comment comprendre cette étrange formule ? Il ne s'agit pas simplement de quelque chose comme un désert, un espace géographique privé d'habitants (la région en question était très habitée, réunissait plusieurs peuples et plusieurs nationalités). La formule désigne plutôt une certaine intensité biopolitique fondamentale, qui peut parcourir n'importe quel espace, et à travers laquelle les peuples se changent en population et les populations en musulmans. Le *volkloser Raum* nomme donc le moteur interne du camp, conçu comme une machine biopolitique qui, une fois installée dans un espace géographique déterminé, le transforme en espace biopolitique absolu, à la fois *Lebens*- et *Todesraum,* où la vie humaine outrepasse toute identité biopolitique assignable. Une fois ce point atteint, la mort n'est plus qu'un épiphénomène.

3. La honte ou du sujet

3.1

Au début de *La Trêve,* Levi décrit la rencontre avec la première avant-garde russe qui, le 27 janvier 1945 vers midi, parvient au camp d'Auschwitz abandonné par les Allemands. Cette rencontre, qui signifie la sortie définitive du cauchemar, n'advient pourtant pas sous le signe de la joie, mais, curieusement, sous celui de la honte :

« C'étaient quatre jeunes soldats à cheval qui avançaient avec précaution, la mitraillette au côté, le long de la route qui bornait le camp. Lorsqu'ils arrivèrent près des barbelés, ils s'arrêtèrent pour regarder, en échangeant quelques mots brefs et timides et en jetant des regards lourds d'un étrange embarras sur les cadavres en désordre, les Blocks disloqués et sur nous, rares survivants. [...] Ils ne nous saluaient pas, ne nous souriaient pas ; à leur pitié semblait s'ajouter un sentiment confus de gêne qui les oppressait, les rendait muets et enchaînait leur regard à ce spectacle funèbre. C'était la même honte que nous connaissions bien, celle qui nous accablait après les sélections et chaque fois que nous devions assister ou nous soumettre à un outrage : la honte que les Allemands ignorèrent, celle que le juste éprouve devant la faute commise par autrui, tenaillé par l'idée qu'elle existe, qu'elle ait été introduite irrévocablement dans l'univers des choses existantes et que sa bonne volonté se soit montrée nulle ou insuffisante et totalement inefficace. » (Levi, 4, p. 14-15.)

Plus de vingt ans après, tandis qu'il écrit *Les Naufragés et les Rescapés,* Levi s'interroge de nouveau sur cette honte, qui se présente alors comme le sentiment dominant des rescapés, et il s'efforce de l'expliquer. Rien d'étonnant à ce que, comme toute tentative d'explication, le chapitre du livre intitulé « La Honte » laisse finalement insatisfait. D'autant qu'il suit immédiatement celui que Levi consacre à l'extraordinaire analyse de la « zone grise », et qui s'en tient délibérément à l'inexplicable, réfute avec témérité toute explication. Alors que face aux *Kapos,* aux collaborateurs et « prominents » en tout genre, aux membres malheureux des *Sonderkommando* et même à Chaim Rumkowski, le *rex Judæorum* du ghetto de Łódź, le rescapé avait conclu à un *non-liquet* (« je demande que l'histoire des "corbeaux du crématoire" soit méditée avec pitié et rigueur, mais que le jugement sur eux reste suspendu », Levi, 2, p. 60), dans le chapitre sur la honte il semble la rabattre hâtivement sur la culpabilité (« que beaucoup (et moi-même) aient éprouvé de la "honte", c'est-à-dire un sentiment de faute... », p. 71). Juste après, tentant d'identifier les racines de cette honte, le même auteur qui peu avant s'était risqué sans peur dans un territoire de l'éthique encore inexploré se soumet à un examen de conscience tellement puéril qu'il laisse le lecteur mal à l'aise. Les fautes qui en ressortent (avoir un jour haussé les épaules avec impatience devant les demandes de ses

114

camarades plus jeunes, ou l'épisode du filet d'eau partagé avec Alberto mais refusé à Daniel) sont évidemment vénielles ; mais le malaise du lecteur reflète la gêne du rescapé, l'impossibilité pour lui de venir à bout de la honte.

3.2

Le sentiment de culpabilité du rescapé est un *locus classicus* de la littérature sur les camps. Son caractère paradoxal fut exposé par Bettelheim en ces termes :

« Le vrai problème [...] c'est que le survivant, en tant qu'être pensant, sait très bien qu'il n'est pas coupable – comme je le sais moi-même, par exemple, en ce qui me concerne – mais que cela ne change rien au fait que l'humanité profonde du survivant, en tant qu'être sentant, exige qu'il se *sente* coupable, et c'est ce qu'il fait. C'est là l'aspect le plus important de la condition de survivant. On ne peut survivre aux camps de concentration sans se sentir coupable d'avoir eu cette chance prodigieuse, alors que des millions d'autres y sont morts, souvent sous ses propres yeux. [...] Dans les camps on était contraint, jour après jour, et pendant des années, d'observer la destruction des autres ; on avait le sentiment – contre toute logique – qu'on aurait dû intervenir ; on se sentait coupable de ne pas l'avoir fait, et, surtout, de s'être souvent réjoui d'avoir été épargné. » (Bettelheim, 1, p. 367-369.)

C'est une aporie du même genre que Wiesel a saisie dans son apophtegme : « Je vis, donc je suis coupable », ajoutant immédiatement : « Si je suis encore là, c'est parce qu'un ami, un camarade, un inconnu est mort à ma place. » La même explication revient chez Ella Lingens, comme si le survivant ne pouvait que vivre à la place d'un autre : « Est-ce que je vis parce que les autres sont morts à ma place ? » (Langbein, 2, p. 457-458.)

Levi lui-même a éprouvé un sentiment semblable. Mais il n'en tire pas jusqu'au bout les conséquences, lutte obstinément contre lui. En 1984 encore, ce conflit s'exprime dans le poème intitulé *Le Survivant* :

> *Since then, at an uncertain hour,*
> Depuis lors, à une heure incertaine,
> Cette souffrance lui revient,
> Et s'il ne trouve personne pour l'écouter
> Le cœur lui brûle dans la poitrine.
> Il revoit les visages de ses compagnons
> Livides au point du jour,
> Gris de ciment,
> Voilés par le brouillard,
> Teintés de mort par les sommeils inquiets :
> La nuit ils remuent les mâchoires
> Sous la lourde injonction des songes
> Mastiquant un navet absent.
> « Arrière, hors d'ici, peuple englouti,
> Allez-vous-en. Je n'ai supplanté personne,
> Je n'ai usurpé le pain de personne,
> Personne n'est mort à ma place. Personne.
> Retournez à votre brouillard.

Ce n'est pas ma faute si je vis et respire
Si je mange et je bois, je dors et suis vêtu. »

(Levi, 6, p. 88.)

Qu'il ne s'agisse pas là d'une simple dénégation de la responsabilité, la citation de Dante dans le dernier vers en témoigne. Elle provient du chant XXXIII de l'*Enfer* (v. 141), qui décrit la rencontre avec Ugolino dans la zone des traîtres. La citation contient une double allusion voilée au problème de la culpabilité des déportés. D'une part, ce « puits obscur » accueille ceux qui ont trahi plus particulièrement leurs parents et leurs camarades ; de l'autre, comme un rappel amer de la situation même du rescapé, le vers cité se rapporte à quelqu'un que Dante croit vivant, alors qu'il l'est seulement en apparence, son âme étant déjà engloutie par la mort.

Deux ans plus tard, alors qu'il écrit *Les Naufragés et les Rescapés,* Levi se repose la question : « Tu as honte parce que tu es vivant à la place d'un autre ? Et, en particulier, d'un homme plus généreux, plus sensible, plus sage, plus utile, plus digne de vivre que toi ? » Cette fois encore, la réponse est dubitative :

« Tu ne peux pas l'exclure : tu t'examines, passes tes souvenirs en revue, espérant les retrouver tous, et qu'aucun d'eux ne se soit masqué ou déguisé ; non, tu ne trouves pas de transgressions manifestes, tu n'as pris la place de personne, tu n'as pas frappé (mais en aurais-tu eu la force ?), tu n'as pas accepté des charges (mais elles ne t'ont pas été offertes), tu n'as volé le pain de personne, cependant tu ne peux pas l'exclure. Ce n'est qu'une supposition, moins : l'ombre d'un soupçon : que chacun est le Caïn de son frère, que chacun de nous (mais cette fois je dis nous dans un sens très large, et même universel) a supplanté son prochain et vit à sa place. » (Levi, 2, p. 80.)

Généraliser l'accusation (ou plutôt le soupçon) suffit, d'une certaine manière, à en émousser la pointe, à rendre sa blessure moins douloureuse. « Personne n'est mort à ma place. Personne. » « On n'est jamais à la place d'un autre. » (Levi, 2, p. 60.)

3.3

L'autre face de la honte du survivant est l'exaltation de la survie comme telle. En 1976, Terrence Des Pres, professeur à la *Colgate University,* publia *The Survivor, An Anatomy of Life in the Death Camps.* Le livre, dont la fortune fut immédiate, se proposait de montrer que « la survie est une expérience pourvue d'une structure définie, ni fortuite, ni régressive, ni immorale », et en même temps de « mettre en évidence cette structure » (Des Pres, p. V). Le résultat de la dissection de la vie dans les camps entreprise par l'auteur est le suivant : vivre, c'est en dernière instance survivre, et ce noyau le plus intime de la « vie en soi » se trouve, dans la situation extrême d'Auschwitz, mis en lumière comme tel, libéré des contraintes et des déformations de la culture. Bien que Des Pres évoque à un moment donné le spectre du musulman, comme figure de l'impossibilité de survivre (« instance empirique de la mort dans la vie », *ibid.*, p. 99), il reproche à Bettelheim d'avoir sous-estimé dans son témoignage la lutte anonyme et quotidienne des déportés pour la survie, au nom d'une éthique obsolète du héros, de celui qui est prêt à sacrifier sa vie. Au contraire, le vrai paradigme éthique de notre temps est pour Des Pres le survivant, qui, sans chercher de justifications idéales, « choisit la vie » et lutte simplement pour survivre.

« Le survivant est le premier homme civilisé à qui il est donné de vivre au-delà des contraintes de la culture, au-delà de la peur de la mort, qui ne peut être vaincue qu'en niant que la vie elle-même ait une valeur. Le survivant est la preuve qu'il y a des hommes et des femmes assez forts, assez mûrs et assez éveillés pour affronter la mort sans médiation et embrasser la vie sans réserve. » (Des Pres, p. 245.)

La vie que le survivant choisit d'« embrasser sans réserve », le « petit supplément de vie » (p. 24) qu'il est prêt à payer au prix fort, se révèle pourtant, à la fin, n'être rien de plus que la vie biologique comme telle, la simple, impénétrable « primauté de l'être biologique ». En un parfait cercle vicieux, où la continuation n'est qu'un retour en arrière, la « vie additionnelle » que découvre la survie est simplement un *a priori* absolu :

« Dépouillé de tout excepté de sa vie, le survivant ne s'appuie plus que sur un certain "talent" biologiquement déterminé, longtemps réprimé par les déformations culturelles, une banque de données inscrites dans les cellules de son corps. La clé des conduites de survie se trouve dans la primauté de l'être biologique. » (Des Pres, p. 228.)

3.4

Rien d'étonnant à ce que le livre de Des Pres ait suscité l'indignation de Bettelheim. Dans un article du *New Yorker* paru au lendemain de la publication de *The Survivor,* celui-ci revendique la culpabilité comme un sentiment d'une importance cruciale pour le survivant.

« La plupart des survivants seraient très étonnés d'apprendre qu'ils étaient "assez forts, assez mûrs et assez éveillés [...] pour embrasser la vie sans réserve", puisqu'un nombre dérisoire de ceux qui sont entrés dans les camps en sont sortis vivants. Que dire de ceux qui, par millions, ont péri ? Étaient-ils "assez éveillés [...] pour embrasser la vie sans réserve" au moment où ils furent conduits dans les chambres à gaz ? [...] Et que dire de tous les survivants brisés par leur épreuve, que même des années du meilleur traitement psychiatrique n'ont pas rendus capables d'affronter leurs souvenirs, qui hantent leur dépression profonde et souvent suicidaire ? [...] Et que dire des cauchemars atroces sur les camps qui me réveillent parfois, aujourd'hui encore, trente-cinq ans après, malgré une vie gratifiante, et que font tous les survivants auxquels j'en ai parlé ? » (Bettelheim, 1, p. 367.) « Seule la capacité de se sentir coupable fait de nous des êtres humains, surtout lorsque, objectivement, nous ne sommes pas coupables » (*ibid.*).

Mais plusieurs indices laissent penser, malgré la vivacité du ton, que les deux thèses sont plus proches qu'il ne semble. Les adversaires sont en effet, plus ou moins sciemment, l'un et l'autre prisonniers d'un curieux cercle, où, d'une part, l'exaltation de la survie a besoin de renvoyer constamment à la dignité (« l'existence dans une situation extrême présente une étrange circularité : les survivants conservent leur dignité pour ne pas commencer à mourir ; et ils se préoccupent de leur corps par souci de "survie morale" », Des Pres, p. 72), et où, de l'autre, la revendication de la dignité et du sentiment de culpabilité n'a d'autre sens que l'instinct de conservation et la survie (« les prisonniers qui ne faisaient pas taire la voix du cœur et de la raison [...] survivaient », Bettelheim, 3, p. 214) ; « notre devoir moral, non pas à l'égard des morts, mais à l'égard de nousmême et des survivants, est de renforcer l'instinct de vie » (*ibid.*). Ce n'est pas un hasard si Bettelheim finit par retourner à l'envoyeur l'accusation de Des Pres concernant son « éthique de l'héroïsme » : « Il transforme en héros ces rescapés du hasard. Cette insistance à montrer que les camps de la mort ont produit des êtres aussi exceptionnels attire notre attention sur une infime minorité, aux dépens des millions d'êtres humains qui ont été massacrés. » (*Ibid.*, p. 124.)

Tout se passe comme si les deux figures contraires du rescapé – celui qui n'arrive pas à ne pas se sentir coupable de sa survie, celui qui dans la survie clame son innocence – trahissaient, par leurs deux gestes symétriques, une entente secrète. Il s'agit des deux faces d'une seule impossibilité pour le vivant : tenir séparées l'innocence et la culpabilité – donc venir à bout, d'une façon ou d'une autre, de sa propre honte.

3.5

Que le sentiment d'être en faute parce qu'il vit à la place d'un autre soit le véritable motif de la honte du rescapé, rien n'est moins sûr. La thèse de Bettelheim – selon laquelle le rescapé est innocent et se trouve cependant, comme tel, dans l'obligation de se sentir coupable – est déjà suspecte. La revendication d'une faute de ce genre, qui tiendrait à la condition du rescapé comme tel et non à ce qu'il a fait ou omis de faire personnellement, rappelle la tendance générale à reconnaître une faute collective et abstraite chaque fois qu'on ne parvient pas à trancher un dilemme éthique. Hannah Arendt a observé qu'après la guerre les Allemands de tous âges assumaient une faute collective liée au nazisme et disaient se sentir coupables pour ce que leurs parents et leur peuple avaient fait, d'autant plus volontiers qu'ils rechignaient à reconnaître les responsabilités individuelles et à punir les vrais délits. De façon analogue, l'Église évangélique allemande finit par déclarer publiquement qu'elle était « coresponsable, devant le Dieu de Miséricorde, du mal que [son] peuple [avait] fait aux juifs » ; mais elle n'était pas prête à en tirer la conséquence nécessaire, à savoir que cette responsabilité ne regardait pas le Dieu de Miséricorde, mais le Dieu de Justice, et appelait la punition des pasteurs coupables d'avoir justifié l'antisémitisme. On peut en dire autant de l'Église catholique, laquelle s'est récemment montrée, par une déclaration de l'épiscopat français, disposée à reconnaître une faute collective à l'égard des juifs ; mais cette même Église n'a jamais voulu admettre les omissions pourtant précises, graves et avérées du pape Pie XII concernant les persécutions et l'extermination des juifs (par exemple lors de la déportation des juifs de Rome en octobre 1943).

Que parler de faute – ou d'innocence – collective n'a pas de sens, que l'on se dit coupable de ce qu'a fait son peuple ou son père seulement par métaphore, Levi en est bien convaincu. À l'Allemand qui lui écrit, non sans hypocrisie, que « la faute pèse lourdement sur [son] pauvre peuple trahi et fourvoyé », il répond qu'« on doit répondre personnellement de ses fautes et de ses erreurs, sinon toute trace de civilisation disparaît de la face de la terre » (Levi, 2, p. 174-175). Et l'unique fois où il parle de faute collective, il l'entend dans le seul sens qu'il reconnaisse, à savoir comme une faute qu'ont commise « presque tous les Allemands d'alors » : n'avoir pas eu le courage de parler, de témoigner de ce qu'ils ne pouvaient pas ne pas voir.

3.6

S'il faut se méfier de cette explication, c'est encore pour une autre raison. Elle prétend, plus ou moins sciemment, plus ou moins explicitement, présenter la honte du rescapé en termes de conflit tragique. Depuis Hegel, le coupable-innocent est la figure à travers laquelle la culture moderne interprète la tragédie grecque, et avec elle ses propres différends secrets. « Dans tous ces conflits tragiques, écrit Hegel, nous devons surtout laisser tomber la fausse représentation de la *faute* et de l'*innocence*. Les héros tragiques sont tout aussi bien coupables qu'innocents. » (Hegel, p. 514.) Le conflit dont parle Hegel n'a pourtant pas du tout la forme d'un cas de conscience qui opposerait simplement une innocence subjective à une faute objective ; le tragique, c'est au contraire la reconnaissance inconditionnelle d'une faute objective par un sujet qui nous apparaît innocent. Ainsi, dans *Œdipe roi,*

« il s'agit du droit de la conscience vigilante, de la légitimation de ce que l'homme accomplit avec un vouloir conscient de soi, face à ce qu'il a fait effectivement, inconsciemment et sans volonté, suivant la détermination des dieux. Œdipe a tué son père, épousé sa mère, engendré des enfants dans ce lit incestueux, et pourtant il a été entraîné dans ce sacrilège abominable sans le savoir ni le vouloir. Le droit de notre conscience actuelle, et plus profonde, consisterait à ne pas reconnaître ces crimes comme les actes d'un Soi-même propre, étant donné qu'ils n'ont été ni dans le savoir propre, ni dans le vouloir propre ; mais le Grec plastique assume ce qu'il a accompli en tant qu'individu et ne se disjoint pas en une subjectivité formelle qui est celle de la conscience de soi d'une part, et d'autre part en ce qui est une affaire objective. [...] Leur pathos [...] les conduit à des actes outrageants et coupables. Mais dont ils ne diront pas qu'ils sont innocents. Au contraire : leur gloire, c'est d'avoir vraiment fait ce qu'ils ont fait. À ce genre de héros on ne saurait faire pire injure que de dire qu'il a agi innocemment. » (Hegel, p. 513-514.)

Rien de plus éloigné d'Auschwitz que ce modèle. Car le déporté voit se creuser l'abîme entre innocence subjective et faute objective, entre ce qu'il a fait et ce dont il peut se sentir responsable, au point qu'il ne parvient à assumer aucun de ses actes. Dans un renversement qui frise la parodie, il se sent innocent de cela même dont les héros tragiques se sentaient coupables, et coupable où ils se sentaient innocents. Tel est le sens du singulier *Befehlnotstand*, cet « état où l'on est contraint d'exécuter un ordre » évoqué par Levi au sujet des membres du *Sonderkommando* : il rend impossible, à Auschwitz, tout conflit tragique. L'élément objectif, qui était toujours l'instance décisive pour le héros grec, devient ici ce qui rend la décision impossible. Et, parce qu'elle ne parvient plus à venir à bout de ses actes, la victime cherche à s'abriter, comme Bettelheim, derrière le noble masque de la faute innocente.

Mais ce qui fait douter de la pertinence du modèle tragique pour rendre compte d'Auschwitz, c'est surtout la facilité avec laquelle les bourreaux eux-mêmes l'invoquent – et quelquefois sans mauvaise foi. Que le recours au *Befehlnotstand* de la part des fonctionnaires nazis est une excuse fallacieuse, cela fut souvent montré (par Levi lui-même, entre autres : 2, p. 59). Il est pourtant clair qu'ils l'invoquent – à partir d'un certain moment, en tout cas – moins pour échapper à une condamnation (l'objection fut balayée dès le premier procès de Nuremberg, sur la base même du code militaire allemand, qui contenait un article autorisant la désobéissance dans les situations extrêmes), que pour se présenter à leurs propres yeux leur position dans les termes – évidemment plus acceptables – d'un conflit tragique. « Mon client se sent coupable devant Dieu, non devant la loi », répétait à Jérusalem l'avocat d'Eichmann.

Exemplaire, à cet égard, est le cas de Fritz Stangl, commandant du camp d'extermination de Treblinka, dont Gitta Sereny a tenté patiemment de reconstruire la personnalité par une série d'entretiens à la prison de Düsseldorf, dans un livre au titre éloquent : *Au fond des ténèbres*. Jusqu'à la fin, il clame obstinément son innocence des crimes qui lui sont imputés, sans du tout contester les faits. Mais, lors du dernier entretien, le 27 juin 1971, quelques heures avant la mort du détenu suite à une crise cardiaque, l'auteur a l'impression que les ultimes résistances tombent, et que, « au fond des ténèbres », renaît laborieusement comme une lueur de conscience éthique.

« "Pour ce que j'ai fait, j'ai la conscience tranquille", dit-il – la même phrase, prononcée de façon rigide, qu'il avait répétée tout au long de son procès, et ces dernières semaines chaque fois que nous avions reposé le problème. Cette fois, je ne fis aucun commentaire. Il fit une pause, attendit, mais la pièce resta silencieuse. "Je n'ai jamais fait de mal à personne... délibérément", dit-il sur un autre ton, moins offensif, et de nouveau il attendit – très longtemps. Pour la première fois depuis tant de jours, je ne lui apportais aucune aide. Le temps pressait. Il empoigna la table des deux mains comme pour s'y tenir. "Mais j'étais là", dit-il sur un ton résigné, étrangement sec et las. Il lui avait fallu presque une demi-heure pour prononcer ces quelques phrases. "Et donc, oui...", dit-il enfin de façon très sereine, "en réalité, je partage la faute... parce que ma faute... ma faute... seulement maintenant, avec ces discussions... maintenant que j'ai parlé... que pour la première j'ai tout dit..." Il se tut. Il avait prononcé ces mots : "ma faute". Mais, plus que ses paroles, c'était l'avachissement soudain de ses traits, son visage effondré qui trahissaient le poids de l'aveu. Après plus d'une minute de silence, il reprit, comme à contrecœur, d'une voix atone : "Ma faute", dit-il, "est d'être encore là. La voilà, ma faute". » (Sereny, p. 492-93.)

De la part d'un homme qui a orchestré la mise à mort de milliers d'êtres humains dans les chambres à gaz, l'évocation voilée d'un conflit tragique inédit, tellement inextricable et mystérieux que la mort seule aurait pu le dénouer sans injustice, ne signifie pas, comme semble le croire Gitta Sereny, trop occupée par sa dialectique de l'aveu et de la culpabilité, l'approche d'un instant de vérité, où Stangl « devenait l'homme qu'il aurait dû être » (p. 495). Elle marque au contraire la perte définitive de sa capacité à témoigner, sa plongée désespérée « au fond des ténèbres » qu'il laisse se refermer sur soi. Le héros grec a pris congé de nous pour toujours, il ne peut plus en aucun cas témoigner pour nous ; après Auschwitz, le paradigme tragique est devenu, pour l'éthique, inutilisable.

3.7

L'éthique de notre siècle s'ouvre avec le dépassement nietzschéen du ressentiment. Contre l'impuissance de la volonté à l'égard du passé, contre l'esprit de vengeance éveillé par ce qui, irrévocablement, a été et ne peut plus être voulu, Zarathoustra nous apprend à vouloir à rebours, à désirer que tout se répète. La critique de la morale judéo-chrétienne fut menée dans notre siècle au nom de la capacité d'assumer intégralement le passé, de se libérer une fois pour toutes de la culpabilité et de la mauvaise conscience. L'éternel retour est avant tout victoire sur le ressentiment, possibilité de vouloir ce qui a été, de changer tout « ainsi fut-il » en un « ainsi ai-je voulu que cela fût » – *amor fati.*

À cet égard aussi, Auschwitz marque une rupture décisive. Imaginons une reprise de l'expérience que, dans le *Gai Savoir,* Nietzsche propose sous la rubrique : *Le poids le plus lourd.* Imaginons donc qu'un démon, « un jour, une nuit », se glisse auprès du rescapé et lui demande : « Veux-tu, toi, qu'Auschwitz revienne, une fois et des milliers fois, que chaque détail, chaque instant, chaque menu événement du camp se répètent éternellement, fassent retour sans cesse, exactement dans l'ordre où ils sont advenus ? Veux-tu cela, toi, encore une fois et pour toujours ? » Il suffit de reformuler l'expérience pour la réfuter catégoriquement, pour la rendre à jamais impraticable.

Pour autant, cette faillite de l'éthique du XXe siècle face à Auschwitz ne provient pas du fait qu'est arrivé là quelque chose de trop atroce pour que quiconque puisse vouloir son retour, l'aimer comme un destin. Dans l'expérience nietzschéenne, l'horreur était prise en compte dès le départ, si bien que le premier effet qu'elle produisait sur l'auditeur était justement de lui faire « grincer des dents et maudire le démon qui parle de la sorte ». On ne peut pas dire non plus que l'échec de la leçon de Zarathoustra entraîne la pure et simple restauration de la morale du ressentiment. Même si, pour les victimes, la tentation est grande.

Jean Améry en vient ainsi à formuler une véritable éthique antinietzschéenne du ressentiment, qui se refuse résolument à accepter « que l'événement ait eu lieu » :

« Les ressentiments comme dominante existentielle de mes semblables : c'est là le résultat d'une longue évolution personnelle et historique. [...] Mes ressentiments sont là pour que le crime devienne une réalité morale aux yeux du criminel lui-même, pour que le malfaiteur soit impliqué dans la vérité de son forfait. [...] En deux décennies de réflexion sur ce qui m'est arrivé, je crois enfin avoir compris qu'un pardon et un oubli résultant d'une pression sociale sont immoraux. [...] La conscience naturelle du temps est en effet enracinée dans le processus physiologique de la guérison de la blessure, et elle est passée dans la représentation sociale de la réalité. Elle a de ce fait un caractère non seulement extramoral, mais aussi *anti*moral. C'est le droit et le privilège de l'homme qu'il ne doive pas se déclarer en accord avec tout événement naturel, et donc aussi avec toute croissance biologique du temps. Ce qui s'est passé, s'est passé : cette phrase est tout aussi vraie qu'elle est ennemie de la morale et de l'esprit. [...] L'homme moral exige que le temps soit aboli – dans le cas qui nous intéresse ici : en clouant le malfaiteur à son méfait. Ce faisant, et le processus d'inversion morale du temps une fois accompli, il se peut alors qu'il devienne le prochain de la victime. » (Améry, p. 114-125.)

Rien de tel chez Primo Levi. Certes, il ne veut pas du titre de « pardonneur » que lui décerne Améry en privé. « Je n'ai pas tendance à pardonner, je n'ai jamais pardonné à aucun de nos ennemis d'alors. » (Levi, 2, p. 134.) Mais l'impossibilité de vouloir l'éternel retour d'Auschwitz a chez lui une tout autre origine, qui donne au passé une consistance ontologique nouvelle, inouïe. *On ne peut vouloir le retour éternel d'Auschwitz parce qu'en vérité Auschwitz n'a jamais cessé d'advenir, Auschwitz se répète déjà sans cesse.* Cette expérience cruelle, implacable, s'est rassemblée pour Levi sous la forme d'un rêve.

« C'est un rêve à l'intérieur d'un autre rêve, et si les détails varient, son fond est toujours le même. Je suis à table avec ma famille, ou avec des amis, au travail ou dans une campagne verte ; dans un climat paisible et détendu, apparemment dépourvu de tension et de peine ; et pourtant, j'éprouve une angoisse ténue et profonde, la sensation précise d'une menace qui pèse sur moi. De fait, au fur et à mesure que se déroule le rêve, peu à peu ou brutalement, et chaque fois d'une façon différente, tout s'écroule, tout se défait autour de moi, décor et gens, et mon angoisse se fait plus intense et plus précise. Puis c'est le chaos ; je suis au centre d'un néant grisâtre et trouble, et soudain je *sais* ce que tout cela signifie, et je sais aussi que je l'ai toujours su : je suis de nouveau dans le camp et rien n'était vrai que le camp. Le reste, la famille, la nature en fleur, le foyer, n'était qu'une brève vacance, une illusion des sens, un rêve. Le rêve intérieur, le rêve de paix, est fini, et dans le rêve extérieur, qui se poursuit et me glace, j'entends résonner une voix que je connais bien. Elle ne prononce qu'un mot, un seul, sans rien d'autoritaire, un mot bref et bas ; l'ordre qui accompagne l'aube à Auschwitz, un mot étranger, attendu et redouté : debout, *"Wstawać"*. » (Levi, 4, p. 245.)

Dans la version qu'en donne un poème de *À une heure incertaine,* l'expérience ne prend plus la forme d'un rêve, mais d'une certitude prophétique :

Nous rêvions dans les nuits sauvages
des rêves denses et violents
que nous rêvions corps et âme :
rentrer, manger ; raconter.
Jusqu'à ce que résonnât, bref, bas,
l'ordre de l'aube :
                    « Wstawać » ;
et le cœur en nous se brisait.

Maintenant nous avons regagné le foyer,
notre ventre est rassasié,
notre récit, fini.
C'est l'heure. Bientôt nous entendrons encore
l'ordre étranger :
                    « Wstawać ». (Levi, 6, p. 20.)

Le problème éthique s'est ici complètement transformé : il ne s'agit plus de vaincre l'esprit de vengeance pour assumer le passé, pour vouloir son retour éternel. Ni de maintenir fermement l'inacceptable par le biais du ressentiment. Ce à quoi nous avons affaire, c'est une existence au-delà de l'acquiescement et du refus, de l'éternel passé et du présent éternel – un événement qui éternellement revient, mais qui par là même demeure absolument, éternellement inassumable. Par delà bien et mal ne se découvre pas l'innocence du devenir, mais une honte sans culpabilité et même, pour ainsi dire, sans temps.

3.8

Que la honte n'est pas, en fait, culpabilité, honte d'avoir survécu à l'autre, qu'elle a une cause plus cruelle et plus obscure, le témoignage d'Antelme le prouve. Il rapporte qu'au moment où la guerre touchait à sa fin, lors de la folle marche pour transférer les détenus de Buchenwald à Dachau, les SS, talonnés par les troupes alliées, fusillèrent par petits groupes tous ceux qui pouvaient, en raison de leur état, retarder la progression. Parfois, dans cette hâte, la décimation se faisait au hasard, sans critère apparent. Un jour, cela tomba sur un jeune Italien.

« Le SS continue : *Du, komme hier !* C'est un autre Italien qui sort, un étudiant de Bologne. Je le connais. Je le regarde. Sa figure est devenue rose. Je le regarde bien. J'ai encore ce rose dans les yeux. Il reste sur le bord de la route. Lui non plus, il ne sait que faire de ses mains. Il a l'air confus. [...] Il est devenu rose après que le SS lui a dit : *Du, komme hier !* Il a dû regarder autour de lui avant de rosir, mais c'était lui qui était désigné, et quand il n'a plus douté il est devenu rose. Le SS qui cherchait un homme, n'importe lequel, pour faire mourir, l'avait "trouvé" lui. Et lorsqu'il l'a eu trouvé, il s'en est tenu là, il ne s'est pas demandé : pourquoi lui plus qu'un autre ? Et l'Italien, quand il a eu compris qu'il s'agissait bien de lui, a lui-même accepté ce hasard, ne s'est pas demandé : pourquoi moi plus qu'un autre ? » (Antelme, p. 240-242.)

Difficile d'oublier la rougeur de cet anonyme étudiant de Bologne, mort au cours de la marche, seul avec son assassin, sur le bord de la route. Et sans doute l'intimité atteinte face à son bourreau inconnu est-elle l'intimité suprême, qui peut, comme telle, faire naître la honte. Mais, quelle que soit la cause de sa rougeur, il ne saurait s'agir de la honte d'avoir survécu. Selon toute vraisemblance, il a bien plutôt honte de devoir mourir, d'avoir été choisi n'importe comment, lui et non un autre, pour être tué. Tel est le seul sens qu'ait, dans les camps, la formule : « mourir à la place d'un autre », c'est à savoir que tous meurent et vivent à la place d'un autre, sans raison ni sens, que le camp est ce lieu où nul ne peut mourir ou survivre à sa propre place. Auschwitz veut encore dire cela : que l'homme, en mourant, ne trouve à sa mort d'autre sens que cette rougeur, cette honte.

En tout cas, l'étudiant n'a pas honte d'avoir survécu ; c'est au contraire la honte qui lui survit. Là encore, Kafka s'est montré prophétique. À la fin du *Procès,* lorsque Joseph K. va mourir « comme un chien » et que le couteau du bourreau s'enfonce par deux fois dans son cœur, il naît en lui quelque chose comme une honte : « C'était comme si la honte dût lui survivre. » De quoi Joseph K. a-t-il honte ? Pourquoi l'étudiant de Bologne rougit-il ? C'est comme si cette rougeur des joues trahissait, l'espace d'un instant, l'affleurement d'une limite, l'atteinte, dans le vivant, de quelque chose comme une nouvelle matière éthique. Certes, il ne s'agit pas d'un fait dont il pourrait témoigner autrement, qu'il aurait pu tenter d'exprimer par des mots. Mais il reste que cette rougeur traverse les années pour nous toucher comme une apostrophe muette, et témoigne pour lui.

3.9

En 1935, Emmanuel Levinas a tracé une esquisse exemplaire de la honte. Selon le philosophe, la honte ne provient pas, comme dans la doctrine des moralistes, de la conscience d'une imperfection ou d'une insuffisance de notre être, avec quoi nous prendrions ainsi nos distances. Au contraire, elle se fonde sur l'impossibilité pour notre être de se désolidariser de soi, sur son incapacité absolue à rompre avec soi-même. Si dans la nudité nous ressentons de la honte, c'est de ne pouvoir cacher ce que nous voudrions soustraire au regard, parce que le désir irrépressible de se fuir rencontre une limite à sa mesure : l'impossibilité de toute évasion. De même qu'avec les besoins physiques et la nausée – que Levinas associe à la honte dans son diagnostic – nous faisons l'expérience de notre révoltante mais inébranlable présence à nous-même, de même, dans la honte, nous sommes reconduit à une chose dont nous ne pouvons en aucune façon nous défaire.

« Ce qui apparaît dans la honte c'est donc précisément le fait d'être rivé à soi-même, l'impossibilité radicale de se fuir pour se cacher à soi-même, la présence irrémissible du moi à soi-même. La nudité est honteuse quand elle est la patence de notre être, de son intimité dernière. Et celle de notre corps n'est pas la nudité d'une chose matérielle antithèse de l'esprit, mais la nudité de notre être total dans toute sa plénitude et solidité, de son expression la plus brutale dont on ne saurait ne pas prendre acte. Le sifflet qu'avale Charlie Chaplin dans *Les Lumières de la ville* fait éclater le scandale de la présence brutale de son être ; c'est comme l'appareil enregistreur qui permet de déceler les manifestations discrètes d'une présence que l'habit légendaire de Charlot dissimule d'ailleurs à peine. [...] C'est notre intimité, c'est-à-dire notre présence à nous-même qui est honteuse. Elle ne révèle pas notre néant, mais la totalité de notre existence. [...] Ce que la honte découvre c'est l'être qui *se découvre*. » (Levinas, p. 86-87.)

Tentons de prolonger l'analyse de Levinas. Avoir honte signifie : être livré à l'inassumable. Mais cet inassumable n'est pas une chose extérieure, il provient au contraire de l'intimité même, est ce qu'il y a en nous de plus intime (notamment notre vie physiologique). Le *moi,* par conséquent, est ici vaincu, supplanté par sa propre passivité, par sa sensibilité la plus propre ; et néanmoins, cet être exproprié et désubjectivé est aussi une extrême, irréductible présence à soi du *je.* Comme si notre conscience faisait eau, fuyait de toute part, et en même temps se trouvait convoquée par un décret irrécusable pour assister à sa propre ruine sans pouvoir s'en détourner, à la désappropriation de ce qui m'est absolument propre.

Dans la honte, le sujet a donc pour seul contenu sa propre désubjectivation : témoin de sa propre débâcle, de sa propre perte comme sujet. Ce double mouvement – de subjectivation et désubjectivation en même temps –, telle est la honte.

3.10

Dans son cours du semestre d'hiver 1942-1943, consacré à Parménide, Heidegger s'était lui aussi occupé de la honte – plus exactement du terme grec correspondant, *aïdōs,* qu'il qualifie de « parole fondamentale de la grécité authentique » (Heidegger, 2, p. 110). Selon le philosophe, la honte est plus qu'« un sentiment que l'homme a » (*ibid.*) ; elle constitue la tonalité émotive qui traverse et détermine tout son être. Autrement dit, la honte est une espèce de sentiment ontologique, dont le lieu propre est la rencontre entre l'homme et l'être ; il s'agit si peu d'un phénomène psychologique que Heidegger peut écrire : « L'être lui-même porte avec soi la honte, la honte d'être » (p. 111).

Pour souligner ce caractère ontologique de la honte – le fait que dans la honte nous sommes exposés à un être qui lui-même a honte –, Heidegger propose de la comprendre à partir de la répugnance (*Abscheu*). Curieusement, ce renvoi reste sans suite, comme s'il allait de soi, ce qui est loin d'être le cas. Il se trouve, par bonheur, que l'un des aphorismes de *Sens unique* contient une analyse de la répugnance aussi brève que pénétrante. Selon Benjamin, la sensation qui domine dans la répugnance est la peur d'être reconnu par ce qui nous dégoûte. « Ce qui s'effraie au tréfonds de l'homme, c'est la conscience obscure qu'il y a en lui quelque chose qui vit, et qui est si peu étranger à l'animal répugnant que celui-ci pourrait bien le reconnaître. » (Benjamin, p. 157-158.) Celui qui éprouve de la répugnance s'est donc, d'une façon ou d'une autre, reconnu dans l'objet de sa répulsion, et craint d'être à son tour reconnu par lui. L'homme qui éprouve de la répugnance se reconnaît dans une altérité inassumable – autrement dit, il se subjective dans une absolue désubjectivation.

Une réciprocité du même genre se retrouve dans l'analyse que Kerényi, à peu près à la même époque, consacre à l'*aïdōs* dans son livre sur *La Religion antique*. Selon le mythologue hongrois, l'*aïdōs,* la honte, est à la fois activité et passivité, regard porté et regard subi.

« Ainsi s'unissent – dans le phénomène de l'*aïdōs* – spectacle réciproquement passif et actif, homme qui regarde et qu'on regarde, monde regardant et regardé – où "regarder" signifie aussi "pénétrer", "corporel" aussi "spirituel", "nature" aussi "norme" – ils s'unissent en une situation fondamentale pour l'expérience religieuse grecque. [...] L'Hellène n'est pas seulement "né pour contempler", "appelé à voir", il est là *pour être regardé.* » (Kerényi, p. 96.)

Dans cette vision réciproque, active et passive, l'*aïdōs* est quelque chose comme le fait d'assister à son propre être-vu, d'être pris à témoin par ce que l'on regarde. Comme Hector face à la gorge dénudée de sa mère (« Hector, mon fils, éprouve de l'*aïdōs* devant ce spectacle ! »), quiconque éprouve de la honte ne peut assumer sa condition de sujet de la vision, il doit répondre de ce qui le prive de parole.

Nous pouvons alors avancer une première définition, provisoire, de la honte. Elle n'est rien de moins que le sentiment fondamental d'être sujet, dans les deux sens – en apparence, du moins – opposés de ce terme : être assujetti et être souverain. Elle est ce qui advient dans l'absolue concomitance entre une subjectivation et une désubjectivation, entre une perte de soi et une maîtrise de soi, entre une servitude et une souveraineté.

3.11

Il est un domaine où ce caractère paradoxal de la honte se prend sciemment comme objet pour se transformer en plaisir – autrement dit, où la honte se porte, pour ainsi dire, au-delà de soi. Il s'agit du sadomasochisme. Car ici un sujet passif – le masochiste – s'éprend de sa passivité, qui le dépasse infiniment, au point d'abdiquer sa condition de sujet et de s'assujettir intégralement à un autre sujet – le sadique. D'où la panoplie rituelle de liens, de contrats, de métal, de corsets, de sutures, de contraintes en tout genre, par laquelle le sujet masochiste cherche en vain à contenir et à fixer ironiquement cette passivité inassumable qui délicieusement l'excède de toute part. C'est parce que la souffrance propre au masochiste est avant tout celle de ne pouvoir assumer sa propre réceptivité que la douleur peut chez lui se convertir immédiatement en volupté. Mais ce qui fait la subtilité de la stratégie du masochiste, sa profondeur presque sarcastique, c'est qu'il ne parvient à jouir de ce qui l'excède qu'à condition de trouver hors de soi un point d'assomption de sa propre passivité, de son propre plaisir inassumable. Ce point extérieur est le sujet sadique, le maître.

Le sadomasochisme se présente donc comme un système bipolaire, où une infinie passibilité – le masochiste – rencontre une non moins infinie impassibilité – le sadique – et où subjectivation et désubjectivation circulent sans cesse d'un pôle à l'autre sans jamais appartenir en propre à aucun. Or l'indétermination ne gagne pas seulement les sujets du pouvoir, mais encore ceux du savoir. La dialectique du maître et de l'esclave n'est plus ici le résultat d'une lutte pour la vie ou la mort, mais d'une « discipline » infinie, d'un processus d'enseignement et d'apprentissage minutieux et interminable, où les deux sujets finissent par échanger leurs rôles. De même, en effet, que le sujet masochiste ne peut assumer son plaisir que dans le maître, de même le sujet sadique ne peut se reconnaître tel, ne peut assumer son savoir impassible, qu'en le transmettant à l'esclave par une instruction et une punition infinies. Mais, puisque par définition le sujet masochiste jouit de son rude dressage, ce qui devait servir à transmettre un savoir – la punition – sert en fait à transmettre un plaisir, de sorte que discipline et apprentissage, maître et disciple, dominateur et esclave se confondent irrémédiablement. Cette indistinction de la discipline et de la jouissance, où l'espace d'un instant les deux sujets coïncident, est justement la honte, que le maître indigné ne cesse de rappeler à son élève de comédie : « Tu n'as pas honte, dis ? ». C'est-à-dire : « Tu ne vois pas que tu es le sujet de ta propre désubjectivation ? »

3.12

Rien d'étonnant à ce qu'un parfait équivalent de la honte se rencontre dans cette structure originaire de la subjectivité que l'on nomme, dans la philosophie moderne, *auto-affection,* et que l'on a coutume depuis Kant d'identifier au temps. Ce qui définit le temps – en tant que forme du sens interne, c'est-à-dire de « l'intuition de nous-même et de notre état intérieur » (Kant, I, § 6, p. 63) – c'est, selon

Kant, qu'en lui « [l'entendement] exerce sur le sujet *passif* dont il est le *pouvoir* une action dont nous disons avec raison que le sens interne en est affecté » (I, § 24, p. 131-132) et que, par conséquent, le temps « ne nous fournit de nous-même qu'une intuition conforme à la manière dont nous sommes intérieurement affecté *par nous-même* » (*ibid.*, p. 134-135). La preuve évidente, selon Kant, de cette auto-altération comprise dans notre intuition de nous-même, c'est le fait que nous ne pouvons penser le temps sans tirer une ligne droite imaginaire, qui constitue comme la trace immédiate du geste d'auto-affection. En ce sens, le temps est auto-affection ; mais, pour cette raison même, Kant peut parler ici d'un véritable « paradoxe », qui réside dans le fait que nous « devrions nous comporter à notre propre égard comme passif » (*wir uns gegen uns selbst als leidend verhalten mussten*) (*ibid.*).

Comment comprendre ce paradoxe ? Que signifie « être passif à l'égard de soi-même » ? Il est clair que « passivité » n'équivaut pas à « réceptivité », au simple fait d'être affecté par un agent externe. Puisqu'ici tout se passe à l'intérieur du sujet, activité et passivité doivent coïncider, et le sujet passif doit être actif à l'égard de sa passivité même, il doit se comporter (*verhalten*) « contre » soi-même (*gegen uns selbst*) comme passif. Si l'on dit simplement « réceptive » la pellicule photographique qu'impressionne la lumière ou la cire chaude

sur quoi s'imprime l'image du sceau, on dira
« passif » seulement ce qui éprouve, pour ainsi
dire, activement son être passif, *est affecté par
sa propre réceptivité*. La passivité – en tant
qu'auto-affection – est par conséquent une
réceptivité à la deuxième puissance, qui pâtit
de soi, s'éprend de sa propre passivité.

Commentant ces pages de Kant, Heidegger
définit le temps comme « pure affection de
soi », qui a la forme singulière d'un « se diri-
ger, partant de soi, vers... » (*Von-sich-aus-hin-
zu-auf*), lequel est en même temps un « regard
en arrière ». C'est seulement par ce geste complexe, par ce regard sur soi dans l'éloignement
même de soi, que peut se constituer quelque
chose comme un « soi-même » :

« Le temps comme affection pure de soi n'est pas une
affection effective qui touche un soi déjà disponible ; en
tant qu'auto-affection pure, il forme l'essence même de ce
que l'on peut définir comme auto-sollicitation en général.
Or le soi-même, qui peut être sollicité comme tel, est, par
essence, le sujet fini. Le temps, comme auto-affection pure,
forme donc la structure essentielle de la subjectivité. C'est
seulement en tant qu'il se fonde sur une telle ipséité que
l'être fini peut être ce qu'il doit être, un être livré à la
réceptivité. » (Heidegger, 3, p. 244.)

Ici s'éclaire l'analogie avec la honte – que
nous avons définie comme l'abandon à une
passivité inassumable. La honte se présente
même comme la tonalité émotive la plus propre de la subjectivité. Ainsi, il n'y a bien sûr
rien de honteux pour un être humain à subir

malgré soi une violence sexuelle ; en revanche, s'il prend plaisir à subir la violence, s'il s'éprend de sa propre passivité – autrement dit, s'il y a de l'auto-affection –, alors seulement on peut parler de honte. C'est pourquoi les Grecs distinguaient nettement, dans les rapports homosexuels, le sujet actif (l'*erastēs*) du sujet passif (l'*eromenos*), et ils exigeaient, pour que le rapport soit éthique, que l'*eromenos* n'éprouve pas de plaisir. La passivité, comme forme de la subjectivité, est donc constitutivement scindée en un pôle purement réceptif (le « musulman ») et un pôle activement passif (le témoin), mais d'une manière telle que cette scission ne sort jamais de soi, ne sépare jamais complètement les deux pôles ; au contraire, elle a toujours la forme d'une *intimité,* d'un abandon à une passivité, d'un « se rendre passif », où les deux termes à la fois se distinguent et se confondent.

Dans son *Compendium grammatices linguae hebraeae,* Spinoza illustre la notion de cause immanente – une action où agent et patient sont une seule et même chose – par les catégories verbales hébraïques du réfléchi actif et du nom infinitif.

« Parce qu'il arrive souvent qu'agent et patient soient une seule et même personne, écrit-il à propos de ce dernier, les Hébreux ont pensé qu'il était nécessaire de former une nouvelle et septième sorte d'infinitifs pour exprimer l'action rapportée à la fois à l'agent et au patient, c'est-à-dire une catégorie d'infinitifs ayant à la fois forme d'actif et de passif. [...] C'est pourquoi il a été nécessaire d'inventer une autre catégorie d'infinitifs qui exprimerait l'action reliée à l'agent ou cause immanente, [...] laquelle, comme nous l'avons dit, signifie *se visiter soi-même* ou *se constituer visitant* ou enfin *se montrer visitant* » (*constituere se visitantem, vel denique praebere se visitantem*, Spinoza, p. 129-130).

Pour rendre le sens de ces formes verbales, la simple – quoique en l'occurrence non triviale – forme réflexive « se visiter » ne lui semble pas suffisante, et il se voit contraint de former ce curieux syntagme : « *se constituer visitant* ou enfin *se montrer visitant* » (il aurait pu tout aussi bien écrire : « *se constituer* ou *se montrer visité* »). De même que, dans le langage courant, pour définir une personne qui prend plaisir à subir quelque chose (ou qui du moins se rend complice de cette passivité), on dit qu'elle « se fait faire » telle chose (et non pas simplement que telle chose lui est faite), de même la coïncidence de l'agent et du patient dans un sujet ne prend pas la forme d'une identité inerte, mais d'un mouvement complexe d'auto-affection, où le sujet se constitue – ou se montre – soi-même comme passif (ou actif), de telle sorte qu'activité et passivité ne peuvent jamais être séparées, mais se révèlent distinctes par leur impossible coïncidence en un *je*. Le *je* est ce qui se produit comme reste dans ce double mouvement – actif et passif – de l'auto-affection. C'est pourquoi la subjectivité a constitutivement la forme d'une subjectivation

145

et d'une désubjectivation ; et c'est pourquoi elle est, intimement, honte. La rougeur est ce reste qui dans toute subjectivation trahit une désubjectivation, et dans toute désubjectivation témoigne d'un sujet.

3.13

De la désubjectivation comme expérience honteuse et cependant inévitable un document rend compte de façon exceptionnelle. Il s'agit de la lettre adressée par Keats à John Wood-house le 27 octobre 1818. L'« aveu honteux » dont il est ici question concerne le sujet poéti-que lui-même, et la façon dont il manque sans cesse à soi pour ne plus résider que dans l'alié-nation et dans l'inexistence. Les thèses avan-cées par cette lettre sous forme de paradoxes sont bien connues :

1. *Le je poétique n'est pas un* je, *il n'est pas identique à soi* : « En ce qui concerne le carac-tère du poète lui-même (j'entends de l'espèce, si je suis quelque chose, à laquelle j'appar-tiens) [...], ce caractère n'est pas lui-même – il n'a pas de moi – il est tout et rien – il n'a pas de caractère (*it is not itself – it has no self – it is everything and nothing – it has no charac-ter*). » (Keats, p. 81.)

2. *Le poète est la chose la moins poétique,* car il est toujours autre que soi, toujours à la place d'un autre corps : « Un poète est l'être le moins poétique du monde, car il n'a pas d'identité, il est constamment à la place d'un autre corps et en train de le remplir (*he is continually in for – and filling some other body...*) » (p. 82).

3. *L'énoncé : « je suis un poète » n'est pas un énoncé,* mais une contradiction dans les termes, qui trahit l'impossibilité d'être poète : « Si donc il n'a pas de moi, et si je suis un poète, qu'y a-t-il d'étonnant à ce que je dise que je ne veux plus écrire ? » (*Ibid.*)

4. *L'expérience poétique est l'expérience honteuse d'une désubjectivation,* d'une déresponsabilisation intégrale et sans réserve, qui emporte tout acte de parole et ramène le soi-disant poète plus bas encore que la chambre des enfants :

« C'est une chose honteuse à avouer (*it is a wretched thing to confess*) ; mais c'est un fait qu'il n'y a pas un mot prononcé par moi qu'on puisse recevoir sûrement comme une opinion issue du fond inchangeant de moi-même – et comment cela serait-il, puisque je n'ai pas de moi ? Quand je suis dans une pièce avec d'autres personnes, si je suis dégagé de toute méditation sur des créations de mon cerveau, alors ce n'est pas moi-même qui rentre en moi-même, mais la personnalité de chaque individu présent qui commence à exercer une telle pression sur moi qu'en très peu de temps je suis annihilé ; et cela pas seulement parmi les hommes ; ce serait la même chose dans une chambre d'enfants. » (*Ibid.*)

Or – ultime paradoxe – ce qui fait suite à cet aveu dans la lettre n'est ni silence ni renoncement, mais la promesse d'une écriture absolue et indéfectible, résolue à se détruire et se renouveler chaque jour, comme si la désubjectivation honteuse inhérente à l'acte de parole possédait une secrète beauté et devait pousser le poète à témoigner sans trêve de sa propre aliénation :

« Je veux tenter d'atteindre en poésie la cime la plus haute que me le permettra la vigueur que j'ai reçue en partage. [...] Je suis sûr de devoir écrire [...] même si mes travaux de la nuit devaient être brûlés chaque matin, et qu'aucun regard ne dût briller sur eux. Mais peut-être, en ce moment, n'est-ce pas moi qui parle, plutôt quelque autre créature dans l'âme de laquelle je vis » (p. 83).

3.14

Que l'acte de création poétique, et peut-être même tout acte de parole, suppose quelque chose comme une désubjectivation, voilà qui est compris dans l'héritage commun de notre tradition littéraire (« muse » est le nom que les poètes ont toujours donné à cette désubjectivation).

« Un Je sans garantie ! » écrit Ingeborg Bachmann dans l'une de ses leçons de Francfort : « Qu'est-ce donc que ce

Je et que pourrait-il être ? – un astre dont on n'aurait jamais reconnu le noyau, ni les éléments qui le composent. Il se pourrait qu'il y ait des myriades de particules qui constituent le "Je", mais cette possibilité à peine pensée, il semble aussitôt que Je soit un Néant, l'hypostasiation d'une forme pure, quelque chose qui désigne une substance rêvée. » (Bachmann, p. 62-63.)

Les poètes, selon Bachmann, sont justement ceux qui ont « fait [du Je] un champ d'expérimentation, ou ont fait d'eux-mêmes un champ d'expérimentation pour ce Je » (*ibid.*). C'est pourquoi ils risquent toujours de « perdre la raison » (*ibid.*), de ne pas savoir ce qu'ils disent.

Mais l'idée d'une expérience de la parole intégralement désubjectivée n'est pas étrangère non plus à la tradition religieuse. De nombreux siècles avant sa reprise programmatique par Rimbaud dans la lettre à Demeny (« Car je est un autre. Si le cuivre s'éveille clairon, il n'y a rien de sa faute »), une expérience de ce genre se trouve citée comme la pratique régulière d'une communauté messianique dans la première Épître de Paul aux Corinthiens. Le « parler en langue » (*laleīn glossē*) dont il est question dans l'épître désigne un événement de parole – la glossolalie – où le parlant parle sans savoir ce qu'il dit (« personne ne le comprend, et c'est en esprit qu'il dit ces mystères », I Cor. 14, 2). Or, cela signifie que le principe même de la parole devient ici quelque chose d'étranger, de « barbare » : « Si je ne connais pas le

149

sens de la langue, je serai un barbare pour celui qui parle, et celui qui parle en moi sera un barbare » (14, 11) – c'est-à-dire, selon le sens propre du terme *barbaros,* un être privé de *logos,* un étranger qui n'entend ni ne parle vraiment. La glossolalie expose donc l'aporie d'une absolue désubjectivation et « barbarisation » de l'événement langagier, où le sujet parlant cède la place à un autre, enfant, ange, barbare, qui parle « en l'air » et de façon « stérile ». Ce n'est pas un hasard si Paul, quoiqu'il ne rejette pas tout à fait la pratique glossolalique des Corinthiens, les met en garde contre la régression infantile qu'elle suppose et les invite à s'efforcer d'interpréter ce qu'ils disent :

« Si la trompette rend un son confus [ici Rimbaud interpolera sa défense des Corinthiens : "Si le cuivre s'éveille clairon..."], qui se préparera au combat ? De même vous, si par la langue vous ne donnez pas une parole distincte, comment saura-t-on ce que vous dites ? Car vous parlerez en l'air » (14, 8). « C'est pourquoi, que celui qui parle en langue prie pour avoir le don d'interpréter. Car si je prie en langue, mon esprit est en prière, mais mon intelligence demeure stérile » (14, 13-14). « Frères, ne soyez pas des enfants sous le rapport du jugement » (14, 20).

3.15

L'expérience glossolalique ne fait que radicaliser une expérience désubjectivante inhérente au plus simple des actes de parole. L'un des principes acquis par la linguistique moderne est que langue et discours en acte sont deux réalités tout à fait séparées, entre lesquelles n'existent ni transition ni communication. Saussure déjà avait noté que si, dans la langue, se tient prête une série de signes (par exemple : « bœufs, lac, ciel, rouge, triste, cinq, fendre, voir »), rien en elle ne permet pour autant de prévoir ou de comprendre de quelle manière et en vertu de quelles opérations ces signes seront mis en marche pour former un discours. « Cette série de mots, si riches que soient les idées qu'elle évoque, n'indique jamais à un individu humain qu'un autre, en les prononçant, veuille lui signifier quelque chose. » « Le monde du signe – ajoutait Benveniste quelques décennies plus tard, en reprenant cette antinomie pour la développer – est clos. Du signe à la phrase il n'y a pas de transition, ni par syntagmation ni autrement. Un hiatus les sépare. » (Benveniste, 2, p. 65.)

Par ailleurs, toute langue dispose d'une série de signes (que les linguistes appellent *shifters,* embrayeurs de l'énonciation, parmi lesquels des pronoms comme « je », « tu », « ceci », des adverbes comme « ici », « maintenant ») destinés à permettre à l'individu de s'approprier la langue pour la faire fonctionner. Ces signes ont en commun de ne pas posséder, comme les autres mots, de signifié lexical définissable en termes réels, mais de déterminer leur sens par un renvoi à l'instance du discours qui les contient.

« Quelle est donc, demande Benveniste, la réalité à laquelle se réfère *je* ou *tu* ? Uniquement une "réalité de discours", qui est chose très singulière. *Je* ne peut être défini qu'en termes de "locution", non en termes d'objet, comme l'est un signe nominal. *Je* signifie "la personne qui énonce la présente instance de discours contenant *je*". » (Benveniste, 1, p. 252.)

Ainsi l'énonciation ne se réfère-t-elle pas au *texte* de l'énoncé, mais à son *avoir lieu* ; l'individu ne peut faire fonctionner la langue qu'à condition de s'identifier dans l'événement même de la parole, et non dans ce qui, en elle, se trouve dit. Mais que veut dire alors « s'approprier la langue » ? Comment, dans ces conditions, une prise de parole est-elle possible ?

À y bien regarder, le passage de la langue au discours est un acte paradoxal, qui suppose à la fois une subjectivation et une désubjectivation. D'une part, l'individu psychosomatique doit s'abolir intégralement et se désobjectiver en tant qu'individu réel pour devenir le sujet de l'énonciation et s'identifier par le pur *shifter* « je », privé de toute substantialité et de tout contenu qui ne soit la référence nue à l'instance du discours. Mais, une fois dépouillé de toute réalité extralinguisitique et constitué comme sujet de l'énonciation, il découvre qu'il a eu accès moins à une parole possible qu'à l'impossibilité de parler – ou plutôt qu'il est devancé par une puissance glossolalique sur quoi il n'a pas prise. En s'appropriant l'appareil formel de l'énonciation, il s'est en effet introduit dans une langue depuis laquelle, par définition, rien ne permet de passer au discours ; et cependant, disant « je », « tu », « ceci », « maintenant », il s'est exproprié de toute réalité référentielle pour se laisser définir uniquement par la relation vide à l'instance du discours. *Le sujet de l'énonciation est intégralement fait de discours et par le discours, mais, pour cette raison même, ne peut rien dire en lui, ne peut parler.*

« Je parle » est donc un énoncé aussi contradictoire que l'était, selon Keats, « Je suis un poète ». Non seulement *je* est toujours déjà, par rapport à l'individu qui lui prête voix, *un autre,* mais de ce *je-autre* on ne peut même pas dire qu'il parle, puisque – dans la mesure où il ne tient que par un pur événement de langage indépendant de tout signifié – il est plutôt dans l'impossibilité de parler, de dire quelque chose. Dans le présent absolu de l'instance du discours, subjectivation et désubjectivation coïncident en tout point, et tant l'individu de chair et de sang que le sujet de l'énonciation se tiennent parfaitement cois. On peut encore le dire ainsi : ce n'est pas l'individu qui parle, mais la langue ; or cela veut dire très exactement qu'une impossibilité de parler a pris – on ne sait trop comment – la parole.

Quoi d'étonnant, dès lors, à ce que les poètes, devant l'intime dépossession inhérente à l'acte de parole, éprouvent quelque chose

comme de la responsabilité et de la honte ?
C'est bien pour cela que Dante, dans la *Vita
nuova,* exigeait du poète, sous peine d'une
« grande honte », qu'il sache « ouvrir par
prose » les raisons de sa poésie ; et l'on
n'oublie pas facilement en quels termes Rimbaud évoquait, avec des années de recul, la sai-
son poétique parcourue : « Je ne pouvais pas
continuer, je serais devenu fou et puis... c'était
mal. »

3.16

Dans la poésie du XXᵉ siècle, le témoignage
le plus impressionnant, peut-être, d'une désubjectivation – de la transformation résolue d'un
poète en pur et simple « champ d'expérimentation » du Je – et de ses éventuelles implications éthiques – est la lettre de Pessoa sur les
hétéronymes. Répondant, le 13 janvier 1935, à
son ami Adolfo Casais Monteiro, qui lui
demandait l'origine de ses nombreux hétéronymes, il commence par les présenter comme le
résultat d'une « tendance organique et
constante à la dépersonnalisation » :

« À l'origine de mes hétéronymes, il y a chez moi une
profonde tendance à l'hystérie. Je ne sais si je suis simplement hystérique, ou plus exactement hystéro-neurasthéni-
que. La seconde hypothèse a ma préférence, parce que je
suis sujet à une aboulie qui ne figure pas au nombre des
symptômes de l'hystérie *stricto sensu.* Quoi qu'il en soit,

154

l'origine mentale de mes hétéronymes est ma tendance organique et constante à la dépersonnalisation et à la simulation. Ces phénomènes prennent – par chance pour moi et pour mes semblables – une forme mentale ; je veux dire qu'ils n'affectent pas ma vie pratique extérieure ni mes relations avec autrui ; ils explosent en moi, je les vis seul avec moi-même. [...] Une parole spirituelle me vient, absolument étrangère, pour une raison ou une autre, à ce que je suis, ou à ce que je suppose être. Je la profère sur-le-champ, spontanément, comme celle d'un ami, dont j'invente le nom, dont l'histoire prend forme, et dont l'aspect – visage, corpulence, costume, attitude – apparaît soudain devant moi. C'est ainsi que j'ai modelé et publié divers amis et connaissances qui n'existèrent jamais, mais qu'aujourd'hui encore, à plus de trente années de distance, j'entends, je sens, je vois. Je le répète : j'entends, je sens, je vois. [...] Et j'en éprouve de la nostalgie. » (Pessoa, p. 226-227.)

Suit le récit de la personnalisation impromptue – le 8 mars 1914 – d'un hétéronyme des plus mémorables, Alberto Caeiro, qui devait devenir son maître (ou, mieux, le maître d'un autre hétéronyme, Alvaro Do Campos) :

« Je m'avançai vers une haute commode, puis, ayant pris quelques feuilles de papier, je me mis à écrire, directement, comme j'écris chaque fois que cela me vient. Je fis d'une traite plus d'une trentaine de poèmes, dans une sorte d'extase dont je ne saurais dire la nature. Ce fut le jour triomphal de ma vie, et il n'en pourra jamais y avoir un pareil. Je commençai par le titre, *O Guardador de Rebanhos*. Ce qui suivit fut l'apparition en moi de quelqu'un, à qui je donnai sur-le-champ le nom d'Alberto Caeiro. Qu'on me pardonne l'absurdité de cette phrase : en moi apparut mon maître. Telle fut la sensation que j'eus immédiatement. Et, à l'instant même où j'eus terminé d'écrire cette trentaine de poèmes, je pris d'autres feuilles et je fis tout aussi vite les six poèmes qui forment la *Chuva Obliqua,* de Fernando Pessoa. Immédiatement et complètement. [...] Ce fut le retour de Fernando Pessoa-Alberto Caeiro à Fernando Pessoa tout court. Plus précisément : ce fut la réaction de Fernando Pessoa à sa propre inexistence en tant qu'Alberto Caeiro. » (Pessoa, p. 228.)

Analysons cette incomparable phénoménologie de la dépersonnalisation hétéronymique. Non seulement toute nouvelle subjectivation (surgissement d'Alberto Caeiro) implique une désubjectivation (dépersonnalisation de F. Pessoa, qui s'assujettit à son maître), mais, aussi instantanément, toute désubjectivation implique une resubjectivation (retour de Fernando Pessoa, qui réagit à sa propre inexistence, c'est-à-dire à sa dépersonnalisation en Alberto Caeiro). Tout se passe comme si l'expérience poétique constituait un processus complexe engageant au moins trois sujets – ou plutôt trois subjectivations-désubjectivations, car il n'est plus ici question d'un sujet au sens propre. Au commencement était l'individu psychosomatique Fernando Pessoa, qui le 8 mars 1914 s'avança vers sa commode pour écrire. À l'égard de ce sujet-là, l'acte poétique ne peut qu'impliquer une désubjectivation radicale, qui coïncide avec la subjectivation d'Alberto Caeiro. Mais une nouvelle conscience poétique, qui serait comme un véritable *ēthos* de la poésie, naît seulement lorsque Fernando Pessoa – survivant à sa dépersonnalisation et regagnant un « soi-même » qui à la fois est et n'est

156

plus le sujet de départ – comprend qu'il doit réagir à son inexistence comme Alberto Caeiro, *qu'il devra répondre de sa désubjectivation*.

3.17

Relisons maintenant la phénoménologie du témoignage chez Primo Levi, l'impossible dialectique entre rescapé et « musulman », pseudo-témoin et « témoin intégral », homme et non-homme. Le témoignage se présente ici comme un processus qui engage au moins deux sujets : l'un, rescapé, peut parler mais n'a rien d'intéressant à dire, l'autre, qui « a vu la Gorgone », « a touché le fond », a donc beaucoup à dire, mais ne peut parler. Lequel des deux témoigne ? *Qui est le sujet du témoignage ?*

De prime abord, il semble que ce soit l'homme – le rescapé – qui témoigne du non-homme, du musulman. Mais, si le rescapé témoigne *pour* le musulman – au sens technique de « pour le compte de », « par délégation » (« nous parlons à leur place, par délégation »), alors, en vertu du principe juridique selon lequel les actes du délégué sont imputés au déléguant, c'est en un sens le musulman qui témoigne. Or cela signifie que celui qui témoigne véritablement dans l'homme est le non-homme, que l'homme n'est que le mandataire du non-homme, lequel emprunte sa voix. Ou plutôt qu'il n'est pas de titulaire du témoignage, que parler, témoigner entraîne dans un mouvement vertigineux où quelque chose sombre, se désubjective totalement, devient muet, tandis qu'autre chose se subjective et parle sans avoir – en propre – rien à dire (« je raconte des choses [...] que je n'ai pas vécues à mon propre compte »). Ici, par conséquent, le sans-parole fait parler le parlant, et le parlant porte dans sa parole même l'impossibilité de parler, de sorte que le muet et le parlant, le non-homme et l'homme pénètrent – par le témoignage – dans une zone d'indistinction où il n'est plus possible d'assigner la position du sujet, d'identifier la « substance rêvée » du *je,* ni, sous ses traits, le vrai témoin.

On peut le dire autrement : *le sujet du témoignage est celui qui témoigne d'une désubjectivation* ; mais à condition de ne pas oublier que « témoigner d'une désubjectivation » signifie seulement qu'il n'y a pas, au sens propre du terme, de sujet du témoignage (« je le répète : nous [...] ne sommes pas les vrais témoins »), que tout témoignage est un processus ou un champ de forces traversé sans cesse par des flux de subjectivation et de désubjectivation.

On mesure bien, ici, l'insuffisance des deux thèses contraires qui partagent l'opinion à propos d'Auschwitz : celle du discours humaniste, affirmant que tous les hommes sont humains, et celle de l'anti-humanisme, qui veut que seuls certains hommes le soient. Le témoignage dit tout autre chose, qu'on peut résumer par cette thèse : « Les hommes sont des hommes en tant qu'ils ne sont pas humains » – ou, plus précisément : « Les hommes sont des hommes en tant qu'ils témoignent du non-homme. »

3.18

Soit le vivant singulier – l'enfant. Qu'advient-il en lui et de lui au moment où il dit *je,* devient parlant ? Le *je,* la subjectivité à laquelle il accède est une réalité – on l'a vu – purement discursive, qui ne renvoie ni à un concept ni à un individu réel. Ce *je,* qui garantit, comme unité transcendant la totalité multiple des vécus, la permanence de ce que nous nommons « conscience », n'est que l'affleurement dans l'être d'une propriété exclusivement linguistique. Comme l'écrit Benveniste, « c'est dans l'instance de discours où *je* désigne le locuteur que celui-ci s'énonce comme "sujet". Il est donc vrai à la lettre que le fondement de la subjectivité est dans l'exercice de la langue. » (Benveniste, 1, p. 262.) Les linguistes ont analysé les effets que l'établissement de la subjectivité dans le langage a sur la structure même des langues. Quant aux effets de la subjectivation sur l'individu vivant, leur analyse reste en grande partie à faire. C'est grâce à cette présence inouïe à soi en tant que *je,* en tant que locuteur dans l'instance du discours, que se forme chez le vivant quelque chose comme un centre unitaire d'imputation des actes et des vécus, un point ferme hors de l'océan mouvant des sensations et des actes psychiques, auquel ceux-ci pourront se référer intégralement comme à leur titulaire. Benveniste a montré comment, dans la présence à soi et au monde que permet l'acte d'énonciation, s'engendre la temporalité humaine, et plus généralement comment l'homme n'a d'autre moyen de vivre le « maintenant » que de le réaliser par l'insertion du discours dans le monde, en disant *je, maintenant.* Mais, pour cette raison même, parce qu'il n'a de réalité que discursive, le « maintenant » – comme le prouve toute tentative de saisie de l'instant présent – est entaché d'une négativité irréductible ; parce que la conscience n'a de consistance que langagière, tout ce que la philosophie et la psychologie ont cru y découvrir n'est que l'ombre du langage, une « substance rêvée ». La subjectivité, la conscience, où notre culture crut trouver son fondement le plus ferme, reposent sur ce qu'il y a de plus fragile au monde, de plus caduc : l'événement de parole ; mais ce fondement précaire se réaffirme – et de nouveau s'effondre – chaque fois que nous mettons en marche la langue pour parler, dans le bavardage le plus vain comme dans la parole donnée une fois pour toutes à soi-même et aux autres.

Il y a plus : le vivant qui s'est rendu absolument présent à soi dans l'acte d'énonciation, en disant *je,* fait reculer dans un passé sans fond ses propres vécus, il ne peut plus coïncider immédiatement avec eux. L'instance du discours dans le pur présent sépare irrémédiablement la présence à soi des sensations et des vécus, au moment même où elle les réfère à un centre d'imputation unitaire. Qui a joui une fois de cette présence à soi spéciale que produit la conscience intime de la voix parlante perd définitivement cette adhérence pure à l'Ouvert que Rilke retrouvait dans le regard de l'animal : ses yeux désormais se révulsent, tournés vers le non-lieu du langage. C'est pourquoi la subjectivation, l'éclosion de la conscience dans l'instance du discours, constitue souvent un trauma dont les humains se remettent mal ; et c'est pourquoi le texte délicat de la conscience s'effiloche et s'efface sans cesse, laissant béant l'écart sur quoi il s'est tissé, la désubjectivation constitutive de toute subjectivation. (On comprend que d'une analyse de la signification du pronom *je* chez Husserl, Derrida ait pu tirer son idée d'une « différance », d'un écart originaire – une écriture – inscrit dans la pure présence à soi de la conscience.)

Ce n'est pas un hasard si, quand quelque chose comme une conscience (*suneidesis, sunnoïa*) fait son apparition chez les tragiques grecs et leurs contemporains poètes, elle se présente comme l'inscription d'une zone de non-connaissance dans le langage et de mutisme dans le savoir, avec dès le départ une connotation éthique et non logique. Ainsi, dans l'*Eunomie* de Solon, Dikè prend la forme d'une con-science silencieuse (*sigōsa sunoïde*), et chez les tragiques la conscience peut même venir à un objet inanimé, qui par définition ne saurait parler : lit insomniaque de l'*Électre,* antre rocheux du *Philoctète* (cf. Agamben, 160-161). Lorsqu'un sujet émerge pour la première fois sous les espèces d'une conscience, cela n'advient donc qu'en marquant une déconnexion entre savoir et dire : comme expérience, chez celui qui sait, d'une douloureuse impossibilité de dire, et, chez celui qui parle, d'une impossibilité de savoir non moins humiliante.

3.19

En 1928, Ludwig Binswanger publia une étude au titre éloquent : *Fonction vitale et histoire interne de la vie.* Ce qui, dans ces pages, fait laborieusement son chemin à travers un lexique phénoménologique encore peu sûr greffé sur le vocabulaire psychiatrique, est l'idée d'une hétérogénéité fondamentale de la conscience personnelle, où les vécus de l'individu s'organisent en histoire intérieure unitaire, par rapport au plan des fonctions vitales – physiques, mais aussi psychiques – exercées par l'organisme. À la vieille distinction du psychique et du somatique Binswanger préfère celle, nettement plus décisive pour lui, entre la « modalité fonctionnelle de l'organisme psychosomatique, d'une part, et l'histoire interne de la vie », qui lui permet d'échapper à la confusion « inscrite dans l'adjectif "psychique", et désormais intolérable, entre le concept de fonction psychique et le contenu spirituel des vécus psychiques ».

Dans un texte ultérieur (que Foucault devait présenter et commenter), cette dualité est comparée par Binswanger à celle de la veille et du sommeil.

> « Aussi longtemps qu'il rêve, écrit-il, l'homme est [...] "fonction vitale", quand il est éveillé, il fait "l'histoire de sa vie". [...] Confondre sous une même dénomination les deux termes de cette disjonction, fonction de la vie et histoire interne de la vie, est impossible, quoique les tentatives dans ce sens ne manquent pas, parce que la vie comme fonction est tout autre chose que la vie comme histoire. »

Binswanger se contente de constater la dualité et de suggérer au psychiatre de tenir compte des deux points de vue. Mais l'aporie qu'il repère est autrement radicale, et de nature à mettre en cause la possibilité même d'identifier un champ unitaire pour la conscience. Considérons, d'une part, le flux continu des fonctions vitales : respiration, circulation du sang, digestion, homéothermie – mais aussi sensation, mouvement musculaire, irritation, etc. – et d'autre part celui du langage et du *je* conscient, dans lequel les vécus s'organisent en

163

histoire individuelle. Existe-t-il un point où ces flux se croisent et s'unissent, où le « rêve » de la fonction vitale se soude à la « veille » de la conscience personnelle ? Où et comment peut se faire l'introduction d'un sujet dans le flux biologique ? En ce point où le locuteur, disant *je,* se produit comme subjectivité, adviendrait-il quelque chose comme une coïncidence entre les deux séries, grâce à quoi le sujet parlant pourrait faire vraiment siennes les fonctions biologiques, et le vivant, s'identifier au *je* parlant et pensant ? Rien dans l'accomplissement cyclique des processus corporels, rien dans la série des actes intentionnels de la conscience ne semble autoriser une telle coïncidence. Bien au contraire, *je* signifie précisément l'écart irréductible entre fonctions vitales et histoire intérieure, entre le devenir parlant du vivant et le sentiment de vie du parlant. Certes, les deux séries se déploient l'une auprès de l'autre et, pourrait-on dire, dans une intimité absolue : mais le nom d'*intimité* n'est-il pas justement donné à une proximité qui toujours demeure distante, à une promiscuité qui jamais ne devient identité ?

3.20

Le psychiatre japonais Kimura Bin, directeur de l'hôpital psychiatrique de Kyoto et traducteur de Binswanger, a tenté de prolonger l'analyse de la temporalité dans *Être et temps* en fonction d'une typologie des principaux troubles mentaux. Il use, à cet effet, de la formule latine *post festum* (littéralement : « après la fête »), qui indique un passé non recouvrable, un advenir toujours déjà lettre morte, auquel il oppose l'*ante festum* et l'*intra festum*.

La temporalité du *post festum* est celle du mélancolique, lequel vit toujours son *je* propre sous la forme d'un « je fus », d'un passé à jamais révolu, à l'égard duquel on ne peut qu'être en reste. À cette expérience du temps correspond, chez Heidegger, l'être-jeté du *Dasein,* toujours déjà abandonné à une situation factice dont il ne peut se dégager. Autrement dit, il y a une sorte de « mélancolie » constitutive du *Dasein* humain, qui a toujours du retard sur soi-même, a toujours déjà manqué sa « fête ».

La temporalité de l'*ante festum* correspond à l'expérience du schizophrène, chez qui s'inverse l'orientation du temps vers le passé propre au mélancolique. Comme, pour le schizophrène, le *je* n'est jamais un bien assuré, mais une chose qu'il faut sans cesse reconquérir, il vit le temps sous la forme de l'anticipation.

« Le moi mis en question chez le schizophrène, écrit Kimura Bin, n'est pas celui qui "a déjà été" et qui est lié au "devoir", c'est-à-dire le moi *post festum* [du mélancolique] dont on parle en disant "ayant été moi-même" et "avoir à être moi-même". [...] Le point essentiel, ici, c'est plutôt le problème de sa propre possibilité d'être lui-même, celui de l'assurance de pouvoir devenir lui-même, autrement dit, il s'agit du risque de pouvoir être aliéné au non-moi. » (Kimura Bin, p. 79.)

À la temporalité du schizophrène correspond, dans *Être et temps,* le primat de l'avenir sous les formes du projet et de l'anticipation. C'est bien parce que son expérience du temps se temporalise originellement à partir de l'avenir que le *Dasein* peut se voir défini par Heidegger comme « l'étant pour lequel en son être il y va de cet être même » et qui est de la sorte, « dans son être, toujours déjà en avant de lui même ». Or, par là même, le *Dasein* est constitutivement schizophrène, il risque toujours de se manquer, de ne pas être convié à sa propre « fête ».

On s'attendrait à ce que la dimension temporelle de l'*intra festum* corresponde au point où, entre la perte de soi irrémédiable du mélancolique et la fête devancée donc manquée du schizophrène, l'homme accède enfin à une pleine présence à soi, vive son *dies festus.* Il n'en est rien. Les deux exemples de temporalité *intra festum* avancés par Kimura Bin ne sont guère festifs. Dans le premier – la névrose obsessionnelle –, l'adhérence au présent prend l'aspect d'une répétition compulsive du même acte, en vue de se fournir comme la garantie de son identité à soi, de se convaincre que l'on ne s'est pas toujours déjà manqué. En d'autres termes, l'obsessionnel s'efforce par la répéti-

166

tion de produire les preuves matérielles de sa présence à une fête que manifestement il manque. Ce manquement à soi, caractéristique de la temporalité de l'*intra festum,* est encore plus sensible dans le second exemple de Kimura Bin. Il s'agit de l'épilepsie, qu'il présente comme l'« arché-paysage » de la folie, une forme particulière de manquement passant par une espèce d'excès extatique de la présence. Selon Kimura Bin, la question décisive, concernant l'épilepsie, est celle-ci : « Pourquoi l'épileptique perd-il conscience ? » Et sa réponse est la suivante : en ce point où le *je* va adhérer à soi dans le suprême instant festif, la crise d'épilepsie sanctionne l'incapacité de la conscience à supporter la présence, à célébrer sa propre fête. Comme le dit Dostoïevski, qu'il cite alors :

« Il y a des instants, ils durent cinq ou six secondes, quand vous sentez soudain la présence de l'harmonie éternelle, vous l'avez atteinte. Ce n'est pas terrestre : je ne veux pas dire que ce soit une chose céleste, mais que l'homme sous son aspect terrestre est incapable de la supporter. Il doit se transformer physiquement ou mourir (p. 151). »

Kimura Bin n'indique pas le répondant de la temporalité épileptique dans *Être et temps.* Mais l'on peut supposer qu'il s'agit de l'instant de la décision, où se rencontrent anticipation et avoir-été, temporalité schizophrène et temporalité mélancolique, et où le *je* advient à soi en assumant authentiquement son propre irrémédiable passé (« l'anticipation de la possibilité extrême est le retour sur son propre avoir-été »). La décision silencieuse, angoissée, qui anticipe et assume sa propre fin, serait alors quelque chose comme l'aura épileptique du *Dasein*, où celui-ci « touche le monde de la mort sous la forme d'un excès, débordement et fontaine de vie à la fois ». Quoi qu'il en soit – et c'est ce qui nous importe ici –, l'homme demeure forcément, selon le psychiatre japonais, en porte à faux par rapport à soi et à son propre *dies festus*. Comme si le vivant, pour être devenu parlant et pour avoir dit *je,* se trouvait désormais constitutivement scindé, et comme si le temps n'était rien autre que la forme de cette déconnexion. Laquelle ne se colmaterait que dans l'excès épileptique ou dans l'instant de la décision authentique, qui seraient comme l'architrave invisible soutenant l'édifice extatico-horizontal du temps, pour l'empêcher de s'écrouler sur la situation spatiale de l'Être-là, sur son *là.*

De ce point de vue, Auschwitz marque la crise irréversible de la temporalité propre, de la possibilité même de « décider » la déconnexion. Le Lager, situation absolue, met fin à toute possibilité de temporalité originaire, de fondation temporelle d'une situation singulière dans l'espace, à toute possibilité d'un *Da.* En lui, l'irrémissible du passé devient imminence absolue ; *post festum* et *ante festum,* anticipation et succession s'écrasent l'une sur l'autre en une sinistre parodie. Le réveil est mainte-nant ravalé à jamais par le rêve : « Bientôt nous entendrons encore / l'ordre étranger : / "Wsta-wać". »

3.21

On comprend à présent en quel sens la honte est vraiment quelque chose comme la structure cachée de toute subjectivité et de toute conscience. En tant qu'elle consiste uniquement dans l'instance de l'énonciation, la conscience a pour forme constitutive l'abandon à un inassumable. Avoir conscience veut dire : être assigné à une inconscience. (D'où la culpabilité comme structure de la conscience chez Heidegger, d'où encore la nécessité de l'inconscient chez Freud.)

Soit la vieille définition de l'homme comme *zōon logon ekhon,* comme « vivant qui a le langage ». Dans cette définition, la tradition métaphysique a autant interrogé le vivant que le *logos* ; mais ce qui en elle est resté impensé, c'est l'*ekhon,* la modalité de cet « avoir ». Comment un vivant peut-il *avoir* le langage ? Que peut donc vouloir dire, pour le vivant, parler ?

Les précédentes analyses ont assez montré à quel point parler constitue un acte paradoxal, supposant à la fois une subjectivation et une désubjectivation, et où l'individu vivant ne s'approprie la langue que dans une expropriation intégrale, devient parlant à condition de s'abîmer dans le silence. Le mode d'être du *je,* le statut existentiel du vivant-parlant est donc une espèce de glossolalie ontologique, une rumeur absolument sans contenu, où vivant et parlant, subjectivation et désubjectivation ne peuvent jamais coïncider. C'est pourquoi la métaphysique et la pensée occidentale du langage – à supposer qu'il s'agisse de deux choses distinctes – ont constamment tenté d'articuler entre eux, par un biais ou un autre, le vivant et le parlant, de forger une charnière qui assure la communication de ce qui semblait incommensurable, de donner consistance à la « substance rêvée » du sujet, à son insaisissable glossolalie.

Ce n'est pas ici le lieu de montrer comment cette articulation fut généralement cherchée du côté d'un Je ou d'une Voix – voix silencieuse de la conscience qui se rend présente à elle-même dans le discours intérieur, d'une part, et, de l'autre, voix articulée, *phone enarthros,* où la langue s'arrime fermement au vivant en s'inscrivant dans sa voix même. Reste que, chaque fois, cette Voix s'avère n'être en dernière analyse qu'un mythologème ou un *theologoumenon,* et que nous ne pouvons atteindre nulle part, ni dans le vivant ni dans le langage, un point où se fasse réellement l'articulation. Il n'y a pas – sinon dans la théologie, dans le Verbe fait chair – d'instant où le langage se soit inscrit dans la voix vivante, de lieu où le vivant ait pu se logiciser, se faire parole.

Dans ce non-lieu de l'articulation, la déconstruction a inscrit sa « trace » et sa « différance », où voix et lettre, signification et présence diffèrent et se diffèrent infiniment. La ligne, qui chez Kant constituait le seul mode de représentation possible de l'auto-affection du temps, fait place au mouvement d'une écriture où « "le regard" ne peut "demeurer" » (Derrida, p. 117). Mais cette impossibilité de faire se rejoindre le vivant et le langage, la *phonē* et le *logos,* le non-humain et l'humain, loin de laisser la signification indéfiniment différée, est cela même qui autorise le témoignage. S'il n'y a pas d'articulation entre le vivant et le langage, si le *je* se trouve suspendu sur cet écart, alors il peut y avoir témoignage. L'intimité, qui trahit notre non-coïncidence à nous-même, est le lieu propre du témoignage. *Le témoignage a lieu dans le non-lieu de l'articulation.* Ce qui se tient dans le non-lieu de la Voix n'est pas l'écriture, mais le témoin. Et justement parce que la relation (ou plutôt la non-relation) entre vivant et parlant prend la forme de la honte, de l'abandon réciproque à un inassumable, l'*ēthos* de cet écart ne saurait être qu'un témoignage – à savoir quelque chose d'inassignable à un sujet, et qui néanmoins constitue sa seule demeure, sa seule consistance possible.

Il est une figure particulière de l'hétéronymie, dite « pseudonymie au carré » ou
« homopseudonymie », dont a écrit Giorgio
Manganelli. Elle consiste à utiliser un pseudonyme en tout point identique au nom propre.
Un jour, une connaissance l'informe qu'il a
publié un livre dont il ne sait rien ; or il s'est
trouvé déjà que des « personnes sobres » lui
apprennent qu'elles ont vu des livres signés de
son nom et de son prénom dans de vraies vitri-
nes. La (*pseudonymie*) [1] pousse jusqu'au bout
le paradoxe ontologique de l'hétéronymie,
puisqu'ici non seulement un *je* cède la place à
un *autre,* mais l'autre prétend n'être pas *autre,*
se confondre avec *je,* ce que *je* ne peut que nier.

« J'avais acquis et partiellement lu un livre qu'un calom-
niateur de bonne foi, un historien, un anagraphologue,
aurait appelé un livre "de moi". Mais, si je l'avais écrit moi,
s'il avait existé un "moi" capable d'écrire un livre, ce livre,
alors comment expliquer l'étrangeté totale et pénible qui
me tenait à distance de la chose écrite ? » (Manganelli,
p. 13.)

Par rapport au simple *je,* l'homopseudonyme
est absolument étranger et parfaitement intime,
à la fois inconditionnellement réel et nécessairement inexistant, au point qu'aucune langue

1. Littré : « On dit aussi : écrire d'une chose. "Prétendre
en écrivant de quelque art échapper à la critique." Bos-
suet. »

ne saurait le décrire, aucun texte, en garantir la consistance.

« Donc, je n'avais rien écrit ; mais par "moi" j'entendais celui qui était doté d'un nom et dépourvu de pseudonyme. Était-ce le pseudonyme qui avait écrit ? Probable, mais le pseudonyme pseudo-écrit, et le moi n'est pas techniquement en mesure de le lire, à la rigueur le pseudonyme au carré le pourrait, à ceci près qu'il n'existe évidemment pas ; si le lecteur est inexistant, je sais du moins ce qu'il peut lire : ce que peut écrire le pseudonyme de degré zéro, quelque chose que ne saurait lire que le pseudonyme au carré, l'inexistant. Par conséquent, ce qui est écrit n'est rien. Le livre ne signifie rien, et en tout cas moi je ne puis le lire sans renoncer à exister. Peut-être n'est-ce qu'une vaste blague : il va s'avérer que je suis mort depuis des années, comme l'ami que j'ai rencontré, et le livre que je feuillette est à jamais inintelligible, je le lis, le relis, le perds. Peut-être faut-il mourir plusieurs fois. » (Manganelli, p. 14.)

Ce que la pseudonymie au carré met à nu, dans cette blague sérieuse comme la mort, ce n'est rien de moins que le paradoxe ontologique du vivant-parlant (ou écrivant), du vivant qui dit *je.* Comme simple *je,* doté d'un nom mais dépourvu de pseudonyme, il ne peut rien écrire ni rien dire. Or tout nom propre, en tant qu'il nomme un vivant, un être non linguistique, est un pseudonyme (de degré zéro). *Je* ne puis écrire, je ne puis dire *je,* que comme pseudonyme. Mais ce qu'alors j'écris et dis n'est rien, ou une chose que ne saurait lire et entendre qu'un pseudonyme au carré, lequel en soi n'existe pas, mais seulement en prenant la place du premier *je,* qui pour sa part renonce à

173

exister (c'est-à-dire meurt). Parvenu à ce point, l'élévation au carré de la pseudonymie s'achève : le *je* doté d'un nom mais dépourvu de pseudonyme s'efface derrière son homopseudonyme inexistant.

Alors surgit une autre question : qui parle dans le récit de Manganelli, qui en est l'auteur ? Qui témoigne du malaise de cette intime étrangeté ? Le *je* privé de pseudonyme, qui existe mais ne peut écrire ? Ou bien le pseudonyme de degré zéro, qui écrit le texte illisible pour le premier *je* ? Ou plutôt le troisième, pseudonyme au carré, qui lit, relit et perd le livre nul et inintelligible ? S'il s'avère que « je suis mort depuis des années », qui survit pour en parler ? Tout se passe comme si, dans le procès vertigineux des subjectivations hétéronymiques, quelque chose toujours survivait au procès, comme si chaque *je* proféré en engendrait un autre – ultérieur, résiduel – de sorte que l'élévation au carré de la pseudonymie n'est jamais faite, retombe sans cesse en arrière, sur un nouveau *je* qui ne se laisse pas distinguer du premier et néanmoins ne coïncide plus avec lui.

3.23

Le verbe « survivre » recèle une ambiguïté irréductible. Il suppose le renvoi à quelque chose ou à quelqu'un auquel on survivrait. Le latin *supervivo* – comme son équivalent *superstes sum* – se construit en ce sens avec le datif, qui indique « ce à quoi » l'on survit. Mais, dès le départ, s'agissant des êtres humains, le verbe admet une forme réflexive, donc la curieuse idée d'une survie à soi-même et à sa propre vie, où celui qui survit et celui auquel il survit ne font qu'un. Si Pline peut ainsi dire d'un personnage public : « Il avait survécu trente ans à sa gloire » (*triginta annis gloriae suae supervixit*), on trouve déjà chez Apulée l'idée d'une véritable existence posthume, d'une vie qui vit en se survivant (*etiam mihi ipse supervivens et postumus*). Dans le même sens, les auteurs chrétiens peuvent dire du Christ – et de tout chrétien avec lui –, en tant qu'il a survécu à la mort, qu'il est à la fois testateur et héritier (*Christus idem testator et haeres, qui morti propriae supervivit*), mais encore du pécheur, en tant que spirituellement mort, qu'il se survit sur terre (*animam tuam misera perdidisti, spiritualiter mortua supervivere hic tibi*).

Cela suppose qu'en l'homme la vie apporte avec soi une césure, qui peut faire de tout « vivre » un « survivre », de tout « survivre » un « vivre ». En un sens – celui retenu, comme on l'a vu, par Bettelheim –, survivre signifie la pure et simple continuation de la vie nue, par opposition à une vie plus vraie, plus humaine ; en un second sens, la survie a une connotation positive – comme chez Des Pres – et concerne celui qui en luttant contre la mort a survécu à l'inhumain.

Soit, maintenant, la thèse résumant la leçon d'Auschwitz : *l'homme est celui qui peut survivre à l'homme.* Au premier sens, elle renvoie au « musulman » (ou à la zone grise) et signifiera la capacité inhumaine de survivre à l'homme. Au deuxième sens, elle renvoie au rescapé et signifiera la capacité humaine de survivre au « musulman », au non-homme. Or les deux sens convergent en un point qui constitue, pour ainsi dire, leur intime noyau sémantique, et où les deux sens paraissent un instant se confondre. En ce point gît le musulman ; en lui s'éclaire le troisième sens – à la fois le plus vrai et le plus ambigu – de la thèse, celui que Levi nous révèle lorsqu'il écrit que « ce sont eux, les "musulmans", les engloutis, les témoins intégraux » : *l'homme est le non-homme ; est véritablement humain celui dont l'humanité fut intégralement détruite.* Le paradoxe est ici le suivant : si celui dont l'humanité fut détruite est le seul à vraiment témoigner de l'humain, alors cela veut dire que l'identité entre homme et non-homme n'est jamais parfaite, qu'il n'est pas possible de détruire intégralement l'humain, que toujours *reste* quelque chose. *Le témoin est ce reste.*

3.24

À propos du livre d'Antelme, Blanchot écrit : « L'homme est l'indestructible, et cela signifie qu'il n'y a pas de limite à la destruction de l'homme » (Blanchot, p. 200). « L'indestructible » ne désigne pas ici une chose – essence ou relation humaine – qui résisterait infiniment à sa propre destruction infinie, et Blanchot se méprend sur le sens de sa propre formule quand il voit émerger de la destruction infinie une « relation humaine dans sa primauté » comme relation à l'autre (p. 199). L'indestructible n'existe pas, ni comme essence ni comme relation ; et la formule doit se lire autrement, de façon à la fois plus complexe et plus simple. « L'homme est l'indestructible qui peut être détruit » – non plus que : « L'homme est celui qui peut survivre à l'homme » – n'est pas une définition qui identifierait, comme toute bonne définition logique, une essence de l'humain en lui attribuant une différence spécifique. Si l'homme peut survivre à l'homme, est ce qui reste après la destruction de l'homme, ce n'est pas parce qu'il y a quelque part une essence de l'humain à détruire ou à préserver, mais parce que le lieu de l'homme est scindé, parce que l'homme a lieu dans la fracture entre le vivant et le parlant, entre non-humain et humain. Autrement dit : *l'homme a lieu dans le non-lieu de l'homme, dans l'articulation manquée entre le*

177

vivant et le logos. L'homme est l'être qui manque à soi, consiste seulement dans ce manquement et dans l'errance qu'il ouvre. Quand Grete Salus écrivait que « jamais l'homme ne devrait être obligé de supporter tout ce qu'il peut supporter et jamais l'homme ne devrait être obligé de voir que la souffrance poussée à cette extrême puissance n'a plus rien d'humain », elle voulait aussi dire cela : il n'y a pas d'essence de l'humain, l'homme est un être de puissance, et au point où, saisissant son infinie destructibilité, on croit en recueillir l'essence, ce que l'on voit alors « n'a plus rien d'humain ».

L'homme est donc toujours en deçà ou au-delà de l'humain, il est le sas par lequel passent sans cesse les courants de l'humain et du non-humain, courants de subjectivation et de désubjectivation, du devenir-parlant du vivant, du devenir-vivant du logos. Ces courants sont coextensifs, mais ne coïncident pas, et cette non-coïncidence, cette fine crête qui les sépare est le lieu même du témoignage.

4. L'archive et le témoignage

4.1

Un soir de 1969, Émile Benveniste, professeur de linguistique au Collège de France, fut pris d'un malaise dans la rue. N'ayant pas ses papiers sur lui, il ne fut pas reconnu. Quand on l'identifia, il souffrait déjà d'une aphasie totale et incurable qui, jusqu'à sa mort trois ans plus tard, lui interdit tout travail. La même année parut dans la revue *Semiotica* l'étude intitulée *Sémiologie de la langue*, qui se clôt sur l'esquisse d'un programme de recherche par delà la linguistique saussurienne, hélas resté sans suite. À la base de ce programme, on ne s'étonnera pas de retrouver la théorie de l'énonciation, la plus géniale peut-être des créations de Benveniste. Le dépassement de la linguistique saussurienne, affirme-t-il, se fera par deux voies : la première – qui se conçoit bien – est celle d'une sémantique du discours, distincte de la théorie de la signification fondée sur le paradigme du signe ; mais la seconde – qui nous importe ici – consisterait en une « analyse translinguistique des textes, des œuvres, par l'élaboration d'une métasémantique qui se construira sur la sémantique de l'énonciation » (Benveniste, 2, p. 66).

Arrêtons-nous un instant sur l'aporie que cette formule recèle. Si l'énonciation, comme on l'a vu, ne renvoie pas au texte de l'énoncé mais à son avoir-lieu, si elle n'est que la pure autoréférence du langage à l'instance du discours en acte, en quel sens pourra-t-on parler d'une « sémantique » de l'énonciation ? Certes, la reconnaissance d'une sphère de l'énonciation a permis pour la première fois de distinguer dans l'énoncé son contenu et son avoir-lieu ; mais, par là même, n'a-t-on pas atteint avec l'énonciation une dimension non sémantique du langage ? Sans doute est-il possible de définir quelque chose comme un signifié des embrayeurs *je, tu, maintenant, ici* (par exemple : « *je* signifie "la personne qui énonce la présente instance de discours contenant *je*" ») ; mais il ne sera pas de même nature que le signifié lexical des autres signes linguistiques. *Je* n'est ni une notion ni une substance, et dans le discours l'énonciation ne correspond pas à ce qui se dit, mais au pur fait qu'on le dit, à l'événement – évanescent par essence – du langage comme tel. Comme l'être des philosophes, l'énonciation est ce qu'il y a de plus unique, de plus concret, parce qu'elle renvoie à l'instance du discours en acte, absolument singulière et non répétable, et elle est en même temps ce qu'il y a de plus vide, de plus générique, parce qu'elle ne cesse de revenir sans qu'on puisse jamais en fixer la réalité lexicale.

Que pourrait vouloir dire, dans cette perspective, une métasémantique construite sur la sémantique de l'énonciation ? Qu'avait entrevu Benveniste avant de sombrer dans l'aphasie ?

4.2

La même année – 1969 –, Michel Foucault publiait *L'Archéologie du savoir,* où il formule la méthode et le programme de ses recherches à travers la fondation d'une théorie des énoncés. Quoique le nom de Benveniste n'y figure pas et que Foucault pût ne pas avoir connaissance de ses derniers articles, un fil secret lie son programme à celui du linguiste. Prendre explicitement comme objet, non les phrases ni les propositions, mais justement les énoncés, non le texte du discours, mais son avoir-lieu, tel est le parti pris radical de l'*Archéologie.* Foucault fut donc le premier à comprendre quelle dimension nouvelle la théorie de l'énonciation avait ouverte à la pensée, et à faire d'elle de façon conséquente l'objet d'une recherche à part entière. Il ne devait pas lui échapper que cet objet était, en un sens, indéfinissable, que l'archéologie ne couvrait en aucune manière un domaine du langage comparable à tous ceux que se partagent les savoirs. Dans la mesure où l'énonciation ne renvoie pas à un texte, mais à un pur événement de langage (en termes stoïciens : non pas au dit, mais au dicible), son territoire ne coïncidera jamais

181

avec un niveau défini de l'analyse linguistique (la phrase, la proposition, les actes illocutoires, etc.), ni avec les domaines positifs circonscrits par les sciences ; elle représente plutôt une fonction, qui peut croiser verticalement chacun d'entre eux. Comme l'écrit Foucault, avec une claire conscience des attendus ontologiques de sa méthode : « L'énoncé, ce n'est pas une structure [...] ; c'est une fonction d'existence » (Foucault, 2, p. 115). Autrement dit, l'énoncé n'est pas une chose douée de propriétés réelles définies, mais une pure existence, le fait qu'un certain étant – le langage – a lieu. Face au système des sciences, à la multiplicité des savoirs que définissent, à l'intérieur du langage, des phrases, des propositions douées de sens, des discours plus ou moins bien formés, l'archéologie revendique comme son territoire le pur avoir-lieu de ces propositions et de ces discours, c'est-à-dire le *dehors* du langage, le fait brut de son existence.

À sa façon, l'archéologie réalisait donc en tout point le programme d'une « métasémantique construite sur la sémantique de l'énonciation » formulé par Benveniste : après avoir distingué – grâce à une sémantique de l'énonciation – la sphère des énoncés de celle des propositions, Foucault y conquiert un nouveau point de vue pour enquêter sur les savoirs et les disciplines, un *dehors* qui permet de réinvestir, par une « métasémantique » (l'archéologie), le champ des discours positifs.

Certes, on peut soupçonner Foucault de vêtir ainsi la vieille ontologie, plus guère présentable, aux couleurs modernes d'une métadiscipline historique, et de nous resservir, avec une certaine ironie, la philosophie première, non plus comme un savoir, mais comme l'« archéologie » de tout savoir. Ce serait méconnaître la nouveauté de sa méthode, dont l'enquête tire sa formidable efficacité, et qui est de ne jamais chercher − comme dans l'une des traditions dominantes de la culture moderne − à fixer l'avoir-lieu du langage dans un *Je* ou une conscience transcendantale − ou, pire, dans un moi mythologique, voire psychosomatique − mais de résolument mettre en doute l'existence d'un sujet, d'un *je,* d'une conscience répondant encore des énoncés, du pur avoir-lieu du langage.

De fait, parce que les sciences humaines se définissaient en opérant dans le langage un découpage correspondant à un certain niveau du discours signifiant et de l'analyse linguistique (la phrase, la proposition, l'acte illocutoire, etc.), elles identifiaient naïvement leur sujet à l'individu psychosomatique supposé proférer le discours. Par ailleurs, même la philosophie moderne, qui avait dépouillé le sujet transcendantal de ses attributs anthropologiques et psychologiques pour le réduire au pur *je parle,* n'avait pas pris toute la mesure de la transformation corrélative dans l'expérience du langage, de son glissement vers un plan asémantique qui ne pouvait plus être celui des propositions. Prendre vraiment au sérieux l'énoncé « je parle », ce serait en effet ne plus penser le langage comme communication d'un sens ou d'une vérité depuis un sujet qui en serait le titulaire et responsable ; ce serait considérer plutôt le discours dans son pur avoir-lieu, le sujet comme « l'inexistence dans le vide de laquelle se poursuit sans trêve l'épanchement indéfini du langage » (Foucault, 3, p. 519). L'énonciation marque dans le langage le seuil entre un dedans et un dehors, son avoir-lieu comme extériorité pure ; et, dès lors que les énoncés deviennent l'objet principal de l'enquête, le sujet se défait de tout caractère substantiel, devient une pure fonction ou une pure position.

« [Le sujet] est une place déterminée et vide qui peut être effectivement remplie par des individus différents. [...] Si une proposition, une phrase, un ensemble de signes peuvent être dits "énoncés", ce n'est donc pas dans la mesure où il y a eu, un jour, quelqu'un pour les proférer ou pour en déposer quelque part la trace provisoire ; c'est dans la mesure où peut y être assignée la position du sujet. Décrire une formulation en tant qu'énoncé ne consiste pas à analyser les rapports entre l'auteur et ce qu'il a dit (ou voulu dire, ou dit sans le vouloir), mais à déterminer quelle est la position que peut et doit occuper tout individu pour en être le sujet. » (Foucault, 2, p. 125-126.)

C'est fidèlement à ces prémisses que Foucault entreprend, la même année, une critique de la notion d'auteur, moins pour observer son éclipse ou constater sa mort que pour la définir comme simple spécification de la fonction-sujet, dont la nécessité est loin d'aller de soi :

« On peut imaginer une culture où les discours circuleraient et seraient reçus sans que la fonction-auteur apparaisse jamais. Tous les discours, quel que soit leur statut, leur forme, leur valeur, et quel que soit le traitement qu'on leur fait subir, se dérouleraient dans l'anonymat du murmure » (Foucault, 3, p. 811-812).

4.3

Son souci légitime de définir le territoire de l'archéologie par rapport aux domaines de savoir et aux disciplines semble avoir empêché Foucault – du moins dans un premier temps – de s'interroger sur les implications éthiques de la théorie des énoncés. Tout occupé à effacer et à dépsychologiser l'auteur, à retrouver d'abord, dans la neutralisation de la question « qui parle ? », quelque chose comme une éthique immanente à l'écriture, il n'a mesuré qu'assez tard tous les effets que la désubjectivation et la décomposition de l'auteur pouvaient avoir sur le sujet lui-même. On peut donc dire, pour reprendre les termes de Benveniste, que la métasémantique des discours positifs a fini par occulter la sémantique de l'énonciation qui l'avait rendue possible, que la construction du système des énoncés en donnée positive et en *a priori* historique a recouvert l'effacement du sujet qu'elle présupposait. En ce sens, le souci d'écarter le faux problème « qui parle ? » a retardé la formulation d'une question tout autre et incontournable : qu'advient-il de l'individu vivant au moment où il occupe la « place vide » du sujet, en ce point où, s'engageant dans une procédure d'énonciation, il découvre que « notre raison c'est la différence des discours, notre histoire la différence des temps, notre moi la différence des masques » (Foucault, 2, p. 172-173) ? Ou bien, encore une fois : que veut dire être le sujet d'une désubjectivation ? Comment un sujet peut-il rendre compte de sa propre débâcle ?

Cette omission – si omission il y a – n'est pas due, bien sûr, à une négligence ou une incapacité de Foucault, mais à une difficulté inhérente à l'idée même d'une sémantique de l'énonciation. En tant qu'elle ressortit, non au texte de l'énoncé, mais à son avoir-lieu, non au dit, mais à un pur dire, elle ne saurait constituer à son tour ni un texte ni une discipline ; parce qu'il ne repose pas sur un contenu de sens mais sur un événement de langage, le sujet de l'énonciation, dont la dispersion fonde la possibilité d'une métasémantique des savoirs et organise en système positif les énoncés, ne saurait se prendre soi-même pour objet, ne saurait s'énoncer. Il ne peut donc y avoir une archéologie du sujet comme il y a une archéologie des savoirs.

Cela condamne-t-il celui qui occupe la place

vide du sujet à demeurer à jamais dans l'ombre, et l'auteur à se perdre intégralement, à sombrer dans le murmure anonyme du « qu'importe qui parle » ? Dans l'œuvre de Foucault, il n'y a peut-être qu'un texte où cette difficulté accède à la conscience sous la forme d'un thème, où l'obscurité du sujet apparaisse brièvement dans toute sa splendeur. Il s'agit de *La Vie des hommes infâmes,* destiné au départ à servir de préface à une anthologie de documents d'archives, registres d'internement et lettres de cachet, où la rencontre avec le pouvoir, lors même qu'elle les frappe d'infamie, tire de la nuit et du silence des existences humaines qui n'auraient pas laissé de trace. Quelque chose luit un instant derrière ces énoncés sommaires : moins les événements d'une biographie – comme le voudrait, dans son pathos, une certaine histoire orale – que le sillage d'une autre histoire ; moins la mémoire d'une existence opprimée que le foyer muet d'un *ēthos* immémorial ; moins le visage du sujet que la déconnexion entre le vivant et le parlant qui en signale la place vide. Parce qu'une vie ne subsiste ici que dans l'infamie où elle fut jouée, et un nom, que dans l'opprobre qui l'a couvert, quelque chose dans cet opprobre témoigne d'une vie et d'un nom au-delà de toute biographie.

4.4

Foucault nomme « archive » la dimension positive correspondant au plan de l'énonciation, « le système général de la formation et de la transformation des énoncés » (Foucault, 2, p. 171). Comment concevoir cette dimension, si elle ne se confond pas avec l'archive au sens strict – le dépôt où l'on classe les traces du déjà-dit pour les transmettre à la mémoire future – ni avec cette bibliothèque de Babel qui recueille une poudre d'énoncés pour permettre leur exhumation sous le regard de l'historien ?

Comme ensemble des règles qui définissent les événements discursifs, l'archive se situe entre la langue, système de construction des phrases possibles, donc des possibilités de dire, et le corpus réunissant la totalité du déjà-dit, des paroles effectivement prononcées ou écrites. L'archive est donc la masse du non-sémantique inscrite dans tout discours signifiant comme fonction de son énonciation, la marge obscure qui cerne et limite toute prise de parole concrète. Entre la mémoire compulsive de la tradition, qui ne connaît que le déjà-dit, et la désinvolture excessive de l'oubli, qui ne se fie qu'au jamais-dit, l'archive est le non-dit ou le dicible inscrit dans tout dit du seul fait qu'il fut énoncé, le fragment de mémoire qui s'oublie chaque fois dans l'acte de dire *je*. C'est dans cet « *a priori* historique », suspendu entre langue et parole, que Foucault installe son chantier et fonde l'archéologie comme « thème général d'une description qui interroge le déjà-dit au niveau de son existence » (p. 173), c'est-à-dire comme le système des relations entre le non-dit et le dit dans tout acte de parole, entre la fonction d'énonciation et le discours où elle s'exerce, entre le dehors et le dedans du langage.

Imaginons maintenant que l'on répète l'opération de Foucault en la déplaçant vers la langue, que l'on transporte donc le chantier qu'il installa entre la langue et l'ensemble des actes de parole, pour le faire passer sur le plan de la langue, ou, mieux, entre la langue et l'archive. Non plus entre un discours et son avoir-lieu, entre le dit et l'énonciation qui s'y exerce, mais entre la langue et son avoir-lieu, entre une pure possibilité de dire et son existence comme telle. Si l'énonciation se tient d'une certaine façon suspendue entre langue et parole, il s'agira alors d'envisager les énoncés non plus du point de vue du discours en acte, mais de celui de la langue, de regarder depuis le plan de l'énonciation, non plus en direction de l'acte de parole, mais vers la langue comme telle. Soit, encore, d'articuler un dedans et un dehors, non seulement sur le plan du langage et du discours en acte, mais aussi sur celui de la langue comme puissance de dire.

Pour le distinguer de l'*archive,* qui désigne le système des relations entre le non-dit et le dit, appelons *témoignage* le système des relations entre le dedans et le dehors de la langue, entre le dicible et le non-dicible en toute langue – donc entre une puissance de dire et son existence, entre une possibilité et une impossibilité de dire. Penser une puissance en acte *en tant que puissance,* c'est-à-dire penser l'énonciation sur le plan de la langue, revient à inscrire dans la possibilité une césure qui distingue en elle une possibilité et une impossibilité, une puissance et une impuissance ; et cela revient, dans cette césure, à situer un sujet. Tandis que la constitution de l'archive supposait la mise hors-jeu du sujet, réduit à une simple fonction ou à une position vide, et son évanouissement parmi la rumeur anonyme des énoncés, dans le témoignage la place vide du sujet devient la question décisive. Il ne s'agit pas, bien entendu, de revenir au vieux problème que Foucault entendait liquider : « comment la liberté d'un sujet peut-elle se frayer un chemin dans les règles d'une langue ? », mais plutôt de situer le sujet dans l'écart entre une possibilité et une impossibilité de dire, en demandant : « Comment quelque chose comme une énonciation peut-il se produire sur le plan de la langue ? De quelle façon une possibilité de dire peut-elle se vérifier comme telle ? » Précisément parce que le témoignage est la relation entre une possibilité de dire et son avoir-lieu, il n'advient qu'à travers sa relation à une impossibilité de dire – à savoir comme *contingence,* comme un pouvoir-ne-pas-être. Cette contingence, cette façon dont la langue vient à un sujet, ne se réduit pas à sa proférition ou non-proférition d'un discours en acte, au fait qu'il parle ou bien se tait, qu'il produit ou ne produit pas un énoncé. Elle concerne, dans le sujet, son pouvoir d'avoir ou de n'avoir pas la langue. Le sujet, donc, est la possibilité que la langue ne soit pas, n'ait pas lieu – ou, mieux, qu'elle n'ait lieu qu'à travers sa possibilité de ne pas être, sa contingence. L'homme est le parlant, le vivant qui a le langage, parce qu'il *peut ne pas avoir* la langue, parce qu'il peut l'*in-fantia,* l'enfance. La contingence n'est pas une modalité parmi d'autres, sur le même plan que le possible, l'impossible et le nécessaire : elle est l'effectuation d'une possibilité, le mode selon lequel une puissance existe comme telle. Elle est un événement (*contingit*) considéré du point de vue de la puissance, comme émergence d'une césure entre un pouvoir-être et un pouvoir-ne-pas-être. Cette émergence prend, dans la langue, la forme d'une subjectivité. La contingence est le possible à l'épreuve d'un sujet.

Si, dans la relation entre le dit et son avoir-lieu, le sujet de l'énoncé pouvait bien être mis entre parenthèses, puisqu'il avait d'ores et déjà pris la parole, la relation entre la langue et son existence, entre langue et archive, exige en revanche une subjectivité, qui seule atteste, dans la possibilité même de parler, une impossibilité de la parole. Et c'est pourquoi la sub-

191

jectivité se présente comme *témoin,* peut parler pour ceux qui ne peuvent parler. Le témoignage est une puissance qui accède à la réalité à travers une impuissance de dire, et une impossibilité qui accède à l'existence à travers une possibilité de parler. Les deux mouvements ne peuvent ni se confondre dans un sujet ou une conscience, ni se scinder en deux substances sans communication. Cette intimité indémaillable est le témoignage.

4.5

Il est temps de tenter une redéfinition des catégories de la modalité du point de vue qui nous intéresse. Celles-ci – possibilité, impossibilité, contingence, nécessité – ne sont pas d'innocentes catégories logiques ou gnoséologiques, qui concerneraient la structure des propositions ou la relation de toute chose à notre faculté de connaître. Ce sont des opérateurs ontologiques, autrement dit les armes dévastatrices au moyen desquelles se mène la gigantomachie biopolitique pour la conquête de l'être, au moyen desquelles on décide chaque fois de l'humain et du non-humain, du « faire vivre » ou du « laisser mourir ». Le champ de cette bataille est la subjectivité. Que l'être se donne de façon modale signifie qu'« être, pour les vivants, c'est vivre » (*to de zēn toïs zōsi to einaï estin,* Aristote, *De Anima,* 415b 13), que l'être implique un sujet vivant. Les catégories de la modalité ne se fondent pas – comme dans la thèse kantienne – sur le sujet, pas plus qu'elles ne dérivent de lui ; c'est plutôt le sujet qui est l'enjeu des procédures où elles interagissent. Elles séparent dans un sujet ce qu'il peut de ce qu'il ne peut pas, le vivant du parlant, le « musulman » du témoin – et, de la sorte, décident de lui.

Possibilité (pouvoir être) et contingence (pouvoir ne pas être) sont les opérateurs de la subjectivation, du point où un possible vient à l'existence, se donne à travers la relation à une impossibilité. L'impossibilité, comme négation de la possibilité (ne pas [pouvoir être]), et la nécessité, comme négation de la contingence (ne pas [pouvoir ne pas être]), sont les opérateurs de la désubjectivation, de la destruction et de la destitution du sujet – c'est-à-dire des procédures qui séparent en lui puissance et impuissance, possible et impossible. Les deux premières catégories constituent l'être dans sa subjectivité, donc, en dernière instance, comme un monde qui est toujours *mon* monde, parce qu'en lui la possibilité existe, touche (*contingit*) à la réalité. Nécessité et impossibilité, au contraire, définissent l'être dans son intégrité et son opacité, pure substantialité sans sujet – donc, à la limite, un monde qui n'est jamais *mon* monde, parce qu'en lui la possibilité n'existe pas. Mais les catégories modales – en tant qu'opérateurs de l'être – ne se tiennent

193

jamais devant le sujet, comme quelque chose qu'il pourrait choisir ou refuser, ni même comme une tâche qu'il pourrait se résoudre – ou non – à assumer dans tel moment privilégié. Le sujet est plutôt le champ de forces toujours déjà traversé par les courants impétueux, historiquement déterminés, de la puissance et de l'impuissance, du pouvoir-ne-pas-être et du ne-pas-pouvoir-ne-pas-être.

Auschwitz constitue, dans cette perspective, le moment d'une débâcle historique de ces procédures, l'expérience traumatique où l'impossible s'est trouvé introduit de force dans le réel. Il est l'existence de l'impossible, la négation la plus radicale de la contingence – donc la nécessité la plus absolue. Le « musulman », produit par lui, est la catastrophe du sujet qui en résulte, sa suppression comme lieu de la contingence et son maintien comme existence de l'impossible. La définition de la politique par Goebbels – « l'art de rendre possible ce qui paraissait impossible » – prend ici tout son sens. Elle définit une expérimentation biopolitique sur les opérateurs de l'être, qui transforme et désarticule le sujet jusqu'à un point limite, où semble se défaire tout ce qui nouait la subjectivation à la désubjectivation.

4.6

Le sens moderne du terme d'«auteur» apparaît relativement tard. En latin, *auctor* signifiait à l'origine celui qui intervient dans l'acte d'un mineur (ou de quiconque n'est pas capable d'accomplir un acte juridiquement valide) pour lui conférer le complément de validité dont il avait besoin. Ainsi, le tuteur, en prononçant la formule *auctor fio,* fournit au pupille l'«autorité» qui lui manquait (on dit alors que le pupille agit *tutore auctore*). De la même façon, l'*auctoritas patrum* est la ratification par les sénateurs – appelés pour cette raison *patres auctores* – d'une résolution populaire qui par là devient valide, a force de loi.

Parmi les acceptions les plus anciennes du terme, on trouve aussi celles de «vendeur» dans un transfert de propriété, de «personne qui conseille ou persuade» et enfin de «témoin». Comment un terme qui exprimait l'idée de la complétion d'un acte imparfait peut-il aussi désigner le vendeur, le conseil ou le témoin? Quel caractère commun se trouve à la racine de ces trois significations apparemment hétérogènes? Quant aux sens de «vendeur» et de «conseiller», un rapide examen des textes suffit à attester leur lien étroit avec le sens premier. Le vendeur est dit *auctor* en tant que sa volonté, en se joignant à celle de l'acheteur, confirme et légitime sa propriété. Le transfert de propriété apparaît donc comme la convergence entre au moins deux parties dans une procédure de cession où le bon droit de l'acquéreur se fonde toujours sur celui du vendeur, qui devient ainsi son *auctor*. Quand nous lisons dans le *Digeste* (50, 17, 175, 7) : *Non debeo melioris condicioni esse, quam auctor meus, a quo jus in me transit,* cela signifie simplement : mon titre de propriété se fonde de façon nécessaire et suffisante sur celui du vendeur qui l'« autorise ». Essentielle, en tout cas, est l'idée d'un rapport entre deux sujets, où l'un fait office d'*auctor* pour l'autre : *auctor meus* désigne le vendeur du point de vue du propriétaire actuel, dont il fonde la propriété légitime.

Même le sens de « personne qui conseille ou persuade » contient une idée analogue. La volonté incertaine ou hésitante d'un sujet reçoit en effet de l'*auctor* l'impulsion ou le supplément qui lui permet de passer à l'acte. Quand nous lisons, dans le *Miles* de Plaute : *Quid nunc mi auctor es, ut faciam ?* cela ne signifie pas simplement : que me conseilles-tu de faire ? mais : que m'« autorises »-tu ? comment complètes-tu ma volonté pour la rendre capable de se résoudre à une certaine action ?

Dans cette perspective, le sens même de « témoin » devient parfaitement clair, et chacun des trois termes qui en latin expriment l'idée de témoignage montre une physionomie distincte. Si *testis* désigne le témoin en tant qu'il intervient comme tiers dans le litige entre deux sujets, et *superstes* celui qui a vécu jusqu'au bout une expérience, lui a survécu et peut donc la rapporter à d'autres, *auctor* désigne le témoin en tant que son témoignage exige toujours que quelque chose – fait, être, parole – lui préexiste, dont la réalité et la force doivent être confirmées ou certifiées. En ce sens, *auctor* se trouve opposé à *res* (*auctor magis* [...] *quam res* [...] *movit,* « le témoin a plus d'autorité que le fait rapporté », Liv., 2, 37, 8) ou à *vox* (*voces* [...] *nullo auctore emissae,* « paroles dont aucun témoin ne garantit la vérité », Cicéron, *Cœl.,* 30). Le témoignage est donc toujours un acte d'« auteur », il suppose toujours une dualité essentielle, où l'on intègre et fait valoir une insuffisance, une incapacité.

Ainsi s'éclaire encore le sens de « fondateur d'une lignée ou d'une cité » que le terme d'*auctor* possède chez les poètes, comme aussi l'idée générale d'un « faire-surgir, produire à l'existence » où Benveniste voyait le sens originaire du verbe *augere.* On sait que le monde classique ignore l'idée de création *ex nihilo,* et que pour lui tout acte de création suppose quelque chose d'autre, matière informe, être incomplet, qu'il s'agit de perfectionner et de « faire croître ». Tout créateur est un co-créateur, tout auteur, un coauteur. Et, comme l'acte de l'*auctor* complète celui de l'incapable, donne force de preuve à ce qui par soi-même en manque, vie à ce qui par soi-même ne saurait vivre, on peut dire en retour que c'est l'acte imparfait, l'incapacité antérieure palliée par lui, qui donne sens à l'acte ou à la parole du témoin-*auctor*. Un acte d'auteur qui prétendrait valoir en soi est un non-sens, de même que le témoignage du rescapé n'a de vérité, de raison d'être que s'il complète en l'intégrant le témoignage de qui ne peut témoigner. Comme le tuteur de son pupille, le créateur de sa matière, le rescapé est inséparable du « musulman », et seule leur unité-différence fait le témoignage.

4.7

Soit le paradoxe de Levi : « Le musulman est le témoin intégral. » Il implique deux propositions contradictoires : 1. « Le musulman est le non-homme, celui qui ne peut en aucun cas témoigner. » 2. « Celui qui ne peut témoigner est le vrai témoin, le témoin absolu. »

Sens et non-sens du paradoxe sont à présent tout à fait clairs. Ce qui s'y exprime n'est rien autre que la structure intime duelle du témoignage comme acte d'un *auctor,* comme différence et intégration d'une impossibilité et d'une possibilité de dire, d'un non-homme et d'un homme, d'un vivant et d'un parlant. Le sujet du témoignage est constitutivement scindé, il n'a de consistance que dans la déconnexion et l'écart – et pourtant ne s'y réduit pas. C'est bien cela que veut dire « être sujet d'une désubjectivation » : le témoin, le sujet éthique, est *ce sujet qui témoigne d'une désubjectiva-tion.* Et le caractère inassignable du témoignage n'est que le prix de cette scission, de cette intimité indémaillable entre musulman et témoin, impuissance et puissance de dire.

Alors, le second paradoxe de Levi : « L'homme est celui qui peut survivre à l'homme » devient clair lui aussi. Musulman et témoin, humain et inhumain sont coextensifs sans coïncider, inséparables quoique distincts. Et cette indivisible partition, cette vie scindée et néanmoins indissoluble, s'exprime à travers une double survie : le non-homme est celui qui peut survivre à l'homme, l'homme est celui qui peut survivre au non-homme. C'est seulement parce que le musulman a pu être isolé de l'homme, seulement parce que la vie humaine est essentiellement destructible et divisible, que le témoin peut lui survivre. La capacité du témoin à survivre à l'inhumain est fonction de la capacité du musulman à survivre à l'humain. Ce qui peut être infiniment détruit est aussi ce qui peut infiniment se survivre.

4.8

Que la vie peut se survivre, qu'elle est même constitutivement scindée en une pluralité de vies – et donc de morts –, telle est la thèse centrale de la physiologie de Bichat. Toutes les *Recherches physiologiques sur la vie et la mort* s'appuient sur le constat d'une scission fondamentale dans la vie, que Bichat présente comme la cohabitation dans chaque organisme de deux « animaux » : l'« animal existant en dedans », dont la vie – qu'il appelle « organique » et compare à celle d'un végétal – n'est qu'une « succession habituelle d'assimilation et d'excrétion » ; l'« animal vivant audehors », dont la vie – qui seule mérite d'être dite « animale » – se définit par sa relation avec le monde extérieur. La scission entre l'organique et l'animal traverse la vie entière de l'individu : dans les oppositions entre la continuité des fonctions organiques (circulation du sang, respiration, assimilation, excrétion, etc.) et l'intermittence des fonctions animales (la plus évidente étant celle du sommeil et de la veille), entre l'asymétrie de la vie organique (un seul estomac, un foie, un cœur) et la symétrie de la vie animale (un cerveau symétrique, deux yeux, deux oreilles, deux bras, etc.), enfin dans le décalage de leurs fins. De même, en effet, que la vie organique commence chez le fœtus avant l'animale, de même, dans la vieillesse et l'agonie, elle survit à la mort de celle-ci. Foucault a relevé la prolifération de la mort chez Bichat, la façon dont elle devient mort progressivement et en détail, à travers une série de morts partielles : mort du cerveau, du foie, du cœur... Mais ce que Bichat n'accepte jamais vraiment, ce qui lui apparaît toujours comme une énigme insondable, c'est moins cette prolifération de la mort que la façon dont la vie organique survit à l'animale, l'inconcevable insistance de l'« animal du dedans » une fois que l'« animal du dehors » a cessé d'exister. Et en effet, si la préséance de la vie organique par rapport à l'animale peut s'expliquer dans le cadre d'un processus, d'un progrès vers des formes toujours plus élevées et complexes, comment rendre compte de cette extravagante survie de l'animal du dedans ?

Les pages de ses *Recherches* où Bichat décrit l'extinction graduelle, inexorable de la vie animale parallèlement à la survie indifférente des fonctions organiques sont parmi les plus fortes.

« La mort naturelle est remarquable, parce qu'elle termine presque entièrement la vie animale, longtemps avant que l'organique ne finisse. Voyez l'homme qui s'éteint à la fin d'une longue vieillesse : il meurt en détail ; ses fonctions extérieures finissent les unes après les autres ; tous ses sens se ferment successivement ; les causes ordinaires des sensations passent sur eux sans les affecter. La vue s'obscurcit, se trouble, et cesse enfin de transmettre l'image des objets : c'est la cécité sénile. Les sons frappent d'abord confusément l'oreille, bientôt elle y devient entièrement insensible ; l'enveloppe cutanée, racornie, endurcie, privée en partie des vaisseaux qui se sont oblitérés, n'est plus le siège que d'un tact obscur et peu distinct. D'ailleurs l'habitude de sentir y a émoussé le sentiment. Tous les organes dépendants de la peau s'affaiblissent et meurent ; les cheveux, la barbe, blanchissent. Privés des sucs qui les nourrissaient, un grand nombre de poils tombent. Les odeurs ne font sur le nez qu'une faible impression. [...] Ainsi isolé au milieu de la nature, privé déjà en partie des fonctions des organes sensitifs, le vieillard voit bientôt s'éteindre aussi celles du cerveau. Chez lui presque plus de perception, par là même que presque rien du côté des sens n'en détermine l'exercice ; l'imagination s'émousse, et bientôt devient nulle. La mémoire des choses présentes se détruit ; le vieillard oublie en un instant ce qu'on vient de lui dire, parce que ses sens externes affaiblis, et déjà pour ainsi dire morts, ne lui confirment point ce que son esprit lui apprend. Les idées fuient, quand des images tracées par les sens n'en retiennent pas l'empreinte. » (Bichat, p. 109-110.)

À ce déclin des sens externes répond un intime retrait du monde qui ressemble trait pour trait à l'apathie du musulman dans les camps :

« Les mouvements du vieillard sont lents et rares ; il ne sort qu'avec peine de l'attitude où il se trouve. Assis près du feu qui le réchauffe, il y passe les jours concentré en lui-même ; étranger à ce qui l'entoure, privé de désirs, de passions, de sensations, parlant peu, parce qu'il n'est déterminé par rien à rompre le silence ; heureux de sentir qu'il existe encore, quand tous les autres sentiments se sont presque déjà évanouis pour lui. [...] Il est facile de voir d'après ce que nous venons de dire que les fonctions externes s'éteignent peu à peu chez le vieillard ; que la vie animale a presque entièrement cessé lorsque l'organique est encore en activité. Sous ce rapport, l'état de l'animal que la mort naturelle va anéantir se rapproche de celui où il se trouvait dans le sein de sa mère, et même de celui du végétal, qui ne vit qu'au dedans, et pour qui toute la nature est en silence. » (Bichat, p. 111-112.)

La description débouche sur une question qui est aussi un amer aveu d'impuissance face à l'énigme :

« Mais pourquoi, lorsque nous avons cessé d'être au dehors, existons-nous encore au dedans, puisque les sens ou la locomotion, etc., sont destinés surtout à nous mettre en rapport avec les corps qui doivent nous nourrir ? Pourquoi ces fonctions s'affaiblissent-elles dans une proportion plus grande que les internes ? Pourquoi n'y a-t-il pas un rapport exact entre leur cessation ? Je ne puis entièrement résoudre cette question. » (Bichat, p. 112.)

Bichat ne pouvait savoir qu'un jour les technologies médicales de réanimation, d'une part, et celles biopolitiques, de l'autre, travailleraient justement à cette déconnexion de l'organique et de l'animal, pour réaliser le cauchemar d'une vie végétative survivant indéfiniment à la vie de relation, d'un non-homme infiniment séparable de l'homme. Pourtant, comme si l'obscur présage de ce cauchemar lui traversait soudain l'esprit, il forme alors le rêve contraire d'une mort à rebours, qui laisserait en l'homme survivre les fonctions animales, détruisant entièrement celles de la vie organique :

« S'il était possible de supposer un homme dont la mort, ne portant que sur les fonctions internes, comme la circulation, la digestion, les sécrétions, etc., laissât subsister l'ensemble de la vie animale, cet homme verrait d'un œil indifférent s'approcher le terme de sa vie organique, parce qu'il sentirait que le bien de l'existence ne lui est point attaché, et qu'il sera en état, après ce genre de mort, de sentir et d'éprouver presque tout ce qui auparavant faisait son bonheur. » (Bichat, p. 113.)

Que survive l'homme ou le non-homme, l'organique ou l'animal, il semble en tout cas

que la vie porte toujours en soi le rêve – ou le
cauchemar – de la survie.

4.9

Foucault – on l'a vu – explique la différence
entre le bio-pouvoir moderne et le pouvoir souverain du vieil État territorial par le chiasme de
deux formules. *Faire mourir et laisser vivre*
serait la devise du vieux pouvoir souverain, qui
s'exerce avant tout comme droit de tuer ; *faire
vivre et laisser mourir* serait le mot d'ordre du
bio-pouvoir, dont l'objectif premier est l'étati-
sation du biologique et la prise en charge de la
vie.
À la lumière des observations qui précèdent,
on voit, entre ces deux formules, s'en glisser
une troisième, qui saisirait la spécificité de la
biopolitique du XXᵉ siècle : non plus *faire mourir,* non plus *faire vivre,* mais *faire survivre.*
Car ce n'est plus la vie, ce n'est plus la mort,
c'est la production d'une survie modulable et
virtuellement infinie qui constitue la prestation
décisive du bio-pouvoir de notre temps. Il
s'agit, en l'homme, de séparer chaque fois la
vie organique de l'animale, le non-humain de
l'humain, le musulman du témoin, la vie végétative, prolongée par les techniques de réanimation, de la vie consciente, jusqu'à un point
limite qui, comme les frontières géopolitiques,
demeure essentiellement mobile, recule selon

les progrès des technologies scientifiques ou politiques. L'ambition suprême du bio-pouvoir est de réaliser dans un corps humain la séparation absolue du vivant et du parlant, de la *zoè* et du *bios,* du non-homme et de l'homme : la survie.

Ainsi le musulman du camp – comme, aujourd'hui, le corps en coma dépassé, le *néo-mort* des salles de réanimation – ne prouve-t-il pas seulement l'efficacité du bio-pouvoir ; il en énonce, pour ainsi dire, le fin mot, il en expose le secret, l'*arcanum.* Dans son *De arcanis rerum publicarum* (1605), Clapmar distinguait, dans la structure du pouvoir, une face visible (le *jus imperii*) et une face cachée (l'*arcanum,* qu'il faisait dériver d'*arca,* écrin, coffret). Dans la biopolitique contemporaine, la survie est l'arête où les deux faces se touchent, et elle met en lumière l'*arcanum imperii* comme tel. Comme tel, parce qu'il reste, pour ainsi dire, invisible dans son exposition même, réenfoui d'autant plus qu'il se trouve offert au regard. Avec le musulman, le bio-pouvoir a voulu produire son ultime arcane, une survie hors de portée de tout témoignage possible, une espèce de substance biopolitique absolue qui, une fois isolée, permette l'assignation de toute identité démographique, ethnique, nationale et politique. Quiconque participait de près ou de loin à la « solution finale » était, dans le jargon de la bureaucratie nazie, un *Geheimnisträger,* un dépositaire de secrets : le musulman, de son côté, est le secret absolument intémoignable, l'arche indévoilable du bio-pouvoir. Indévoilable parce que vide, parce qu'il n'est que le *volkloser Raum,* l'espace vide de peuple au centre des camps, lequel, séparant toute vie d'elle-même, marque le passage du citoyen au *Staatsangehörige* d'ascendance non aryenne, du non-aryen au juif, du juif au déporté, et finalement du juif déporté par-delà lui-même au musulman, c'est-à-dire à une vie nue inassignable, intémoignable.

C'est pourquoi ceux qui, aujourd'hui, tiennent à ce qu'Auschwitz reste indicible devraient se montrer plus prudents dans leurs affirmations. S'ils veulent dire qu'Auschwitz fut un événement unique, devant lequel le témoin doit en quelque sorte soumettre chacun de ses mots à l'épreuve d'une impossibilité de dire, alors ils ont raison. Mais si, rabattant l'unique sur l'indicible, ils font d'Auschwitz une réalité absolument séparée du langage, s'ils amputent le musulman de la relation entre impossibilité et possibilité de dire qui constitue le témoignage, alors ils répètent à leur insu le geste des nazis, ils sont secrètement solidaires de l'*arcanum imperii.* Leur silence risque de confirmer l'avertissement lancé par les SS comme un défi aux détenus, que Levi transcrit en tête de *Les Naufragés et les Rescapés* :

« De quelque façon que cette guerre finisse, nous l'avons déjà gagnée contre vous ; aucun d'entre vous ne restera pour porter témoignage, mais même si quelques-uns en réchappaient, le monde ne les croira pas. Peut-être y aura-t-il des soupçons, des discussions, des recherches faites par les historiens, mais il n'y aura pas de certitude parce que nous détruirons les preuves en vous détruisant. Et même s'il devait subsister quelques preuves, et si quelques-uns d'entre vous devaient survivre, les gens diront que les faits que vous racontez sont trop monstrueux pour être crus. [...] L'histoire des Lager, c'est nous qui la dicterons. » (Levi, 2, p. 11-12.)

4.10

Isoler ainsi la survie de la vie, c'est bien ce que le témoignage, par le moindre de ses mots, se refuse à faire. C'est parce que l'inhumain et l'humain, le vivant et le parlant, le musulman et le survivant ne coïncident pas, nous dit-il, c'est justement parce qu'il y a entre eux un écart indémaillable, qu'il peut y avoir témoignage. Et justement dans la mesure où il est inhérent à la langue comme telle, justement parce qu'il n'atteste l'avoir-lieu d'une puissance de dire qu'à travers une impuissance, l'autorité du témoignage ne dépend pas d'une vérité factuelle, de la conformité entre la parole et les faits, la mémoire et le passé, mais de la relation immémoriale entre dicible et indicible, entre dedans et dehors de la langue. *L'autorité du témoin réside dans sa capacité de parler uniquement au nom d'une incapacité de dire – c'est-à-dire dans son existence comme sujet.*

Le témoignage ne garantit pas la vérité factuelle de l'énoncé conservé dans l'archive, mais son inarchivabilité, son extériorité par rapport à l'archive, donc le fait qu'il échappe nécessairement – en tant qu'existence d'une langue – à la mémoire comme à l'oubli. Pour cette raison – parce que le témoignage apparaît seulement où est apparue une impossibilité de dire, parce qu'il y a témoin seulement où il y eut désubjectivation –, le musulman est effectivement le témoin intégral ; pour cette raison, on ne saurait amputer le musulman du rescapé.

Le statut conféré au sujet dans cette perspective mérite réflexion. Que le sujet du témoignage – voire toute subjectivité, si être sujet et témoigner, en dernière analyse, ne font qu'un – est un *reste*, cela ne veut pas dire ici qu'il soit – selon l'un des sens du mot grec *hupostasis* – une sorte de substrat, de dépôt ou de sédiment que les processus historiques de subjectivation et désubjectivation, humanisation et déshumanisation, laissent derrière eux comme fond, ou fondement, de leur devenir. Une telle conception répéterait, une fois de plus, la dialectique du fondement, où quelque chose – en l'occurrence, la vie nue – doit être isolé et envoyé par le fond pour qu'une vie humaine puisse être assignée en propre à des sujets (en ce sens, le « musulman » est la figure dans laquelle la vie juive fut envoyée par le fond pour que quelque chose comme une vie aryenne puisse être produite). Le fondement serait alors fonction d'un *telos,* qui serait la réalisation ou la fondation de l'homme, du devenir humain de l'inhumain. Et c'est cette perspective qu'il convient de remettre en cause radicalement. Il faut cesser d'envisager les processus de subjectivation et désubjectivation, le devenir-parlant du vivant, le devenir-vivant du parlant – et plus généralement les processus historiques – comme s'ils servaient un *telos,* apocalyptique ou profane, où vivant et parlant, non-homme et homme – avec les termes, quels qu'ils soient, d'un processus historique – se confondraient dans une humanité accomplie, achevée, s'assembleraient en une identité réalisée. Le fait d'être privés d'une fin ne les condamne pas à l'absurdité, à la vanité d'un désenchantement, d'une dérive infinie. S'ils n'ont pas de *fin,* ils ont un *reste* : en eux, sous eux, nul fondement ; mais entre eux, en leur cœur, un écart irréductible, où chacun des termes peut se poser en reste, peut témoigner. Seul est véritablement historique ce qui accomplit le temps, non en direction de l'avenir, ni simplement vers le passé, mais dans le débordement d'un milieu. Le Royaume messianique n'est ni à venir (le Jugement dernier) ni passé (l'Âge d'Or) : c'est un *temps en reste.*

4.11

Dans un entretien de 1964 pour la télévision allemande, au journaliste qui lui demandait ce qui restait pour elle de l'Europe préhitlérienne où elle avait vécu, H. Arendt répondit : « Ce qui reste ? Il reste la langue maternelle » (*Was bleibt ? Es bleibt die Muttersprache*). Qu'est-ce qu'une langue comme reste ? Comment une langue peut-elle survivre aux sujets, voire au peuple qui la parlait ? Et que veut dire : parler dans une langue qui reste ?

Le cas des langues mortes fournit ici un intéressant paradigme. On peut considérer toute langue comme un champ traversé par deux forces contraires, l'une poussant à l'innovation, à la transformation, l'autre à l'invariance, à la conservation. La première correspond dans la langue à une zone d'anomie, la seconde à la norme grammaticale. Le point de rencontre des deux courants est le sujet parlant, comme *auctor* chez qui se décide à chaque fois ce qui peut se dire et ce qui ne peut se dire, le dicible et le non-dicible d'une langue. Quand, dans le sujet, le lien tendu entre norme et anomie, dicible et non-dicible se rompt, la langue meurt, et l'on prend conscience d'une nouvelle identité linguistique. Une langue morte est celle, par conséquent, où l'on ne peut opposer norme et anomie, innovation et conservation. D'une telle langue on dit fort justement qu'elle n'est plus parlée, c'est-à-dire qu'*en elle il est impossible d'assigner la position de sujet.* Le déjà-dit forme alors un tout clos sans dehors, qui peut seulement se léguer comme corpus, s'exhumer dans l'archive. Pour le latin, la chose est arrivée quand la tension entre *sermo urbanus* et *sermo rusticus,* pressentie par les locuteurs dès l'époque de la République, est tombée. Tant que l'opposition était perçue comme une tension interne entre deux pôles, le latin était une langue vivante et le sujet s'entendait à parler une seule langue ; quand cette tension retombe, la part normée se détache comme langue morte (ou celle que Dante nomme *grammatica*), et la part anomique donne naissance aux langues vulgaires romanes.

Soit, maintenant, le cas de Giovanni Pascoli, poète en langue latine de la fin du XIXᵉ et du début du XXᵉ siècles, donc d'une époque où elle était morte depuis longtemps. Il se trouve, ici, qu'un individu parvient à assumer une position de sujet dans une langue morte – donc à restaurer en elle cette possibilité d'opposer dicible et non-dicible, innovation et conservation – qui par définition n'existait plus. Et l'on dirait à première vue qu'un tel poète en langue morte, en tant qu'il se réinstalle en elle comme sujet, accomplit une véritable résurrection de la langue. C'est d'ailleurs ce qui se produit dans les cas où l'exemple de l'*auctor* isolé est suivi, comme on a pu le vérifier entre 1910 et 1918 pour le dialecte piémontais de Forno in Val di Più, quand son dernier locuteur vieillissant convertit un groupe de jeunes gens, qui se mirent à le pratiquer ; ou encore dans le cas de l'hébreu moderne, où une communauté entière se place en position de sujet à l'égard d'une langue devenue purement cultuelle. Mais, à bien y regarder, la situation est plus complexe. Dans la mesure où l'exemple du poète en langue morte reste résolument isolé et que lui-même continue de parler et d'écrire une autre langue maternelle, on pourrait dire qu'il fait survivre la langue aux sujets qui la parlaient, et la produit comme un milieu indécidable – un témoignage – entre une langue vivante et une morte. Autrement dit, il offrirait – en une sorte de *nekuïa* philologique – sa voix et son sang au spectre de la langue morte, pour qu'elle revienne – comme telle – à la parole. Étrange *auctor,* qui autorise et appelle à parler une absolue impossibilité de parler.

Si l'on se tourne maintenant vers le témoignage, on pourra dire que témoigner revient à se placer, au sein de sa propre langue, dans la position de ceux qui l'ont perdue, à s'installer dans une langue vivante comme si elle était morte, ou dans une langue morte comme si elle était vivante – en tout cas, hors de l'archive et du corpus du déjà-dit. Rien d'étonnant à ce que ce geste de témoignage soit aussi celui du poète, de l'*auctor* par excellence. La thèse de Hölderlin selon laquelle « ce qui reste, les poètes le fondent » (*was bleibt, stiften die Dichter*) ne doit pas s'entendre dans le sens trivial d'une longévité particulière des poèmes. Elle signifie plutôt que la parole poétique toujours se pose en reste, et peut, par là même, témoigner. Les poètes – les témoins – fondent la langue comme ce qui reste, ce qui survit en acte à la possibilité – ou à l'impossibilité – de parler.

De quoi témoigne une telle langue ? D'une chose – fait ou événement, mémoire ou espérance, allégresse, agonie – qui pourrait être enregistrée dans le corpus du déjà-dit ? Ou de l'énonciation, qui atteste dans l'archive l'irréductibilité du dire au dit ? Ni l'un ni l'autre. Cette langue, où l'auteur parvient à témoigner de son incapacité à parler, est non énonçable, inarchivable. En elle coïncident une langue survivant aux sujets qui la parlent et un parlant qui reste au-delà de la langue. Elle est cette « ténèbre dense » que Levi sentait croître dans les pages de Celan comme « du bruit » ; elle est la non-langue d'Hurbinek (*mass-klo, matis-klo*) qui n'a de place ni dans les bibliothèques du dit ni dans l'archive des énoncés. Et de même que dans le ciel observable la nuit les étoiles brillent cernées d'une épaisse ténèbre, dont les cosmologistes nous disent qu'elle témoigne du temps où elles ne brillaient pas encore, de même la parole du témoin témoigne d'un temps où il ne parlait pas encore, le témoignage de l'homme témoigne du temps où il n'était pas encore homme. Ou bien, selon une hypothèse voisine, de même que les galaxies les plus lointaines, dans l'univers en expan-

213

sion, s'éloignent à une vitesse plus grande que celle de leur lumière, qui n'arrive donc pas jusqu'à nous, de sorte que le noir de la nuit n'est que l'invisibilité de cette lumière, de même, selon le paradoxe de Levi, le témoin intégral est celui que nous ne pouvons voir – le musulman.

4.12

Le *reste* est un concept théologico-messianique. Dans les livres prophétiques de l'Ancien Testament, ce n'est pas le peuple entier d'Israël qui est sauvé, mais un reste, appelé chez Is *shear Yisraël,* le reste d'Israël, et chez Amos *sheérit Yosep,* les restes de Joseph. Le paradoxe est que les prophètes s'adressent à l'ensemble d'Israël pour le convertir au bien, en annonçant que seul un reste sera sauvé (ainsi en Amos 5, 15 : « Haïssez le mal, aimez le bien et faites prévaloir le droit aux portes. Peut-être alors l'Éternel, Dieu des armées, prendra-t-il en pitié les restes de Joseph » ; et en Is 10, 22 : « Oui Israël, même si ton peuple est comme le sable des mers, seul un reste sera sauvé »).

Que faut-il entendre par « reste » ? Il importe que le reste, comme n'ont pas manqué de le noter les théologiens, ne désigne pas simplement une portion numérique d'Israël ; le reste est plutôt *la consistance qu'Israël prend quand il est mis en rapport direct avec l'*eskaton, *l'événement messianique ou l'élection.* Autrement dit, dans sa relation au salut, le tout (le peuple) se pose nécessairement comme reste.

La chose est patente chez Paul. Dans l'*Épître aux Romains*, au cœur d'un réseau dense de citations bibliques, l'événement messianique est pensé comme une série de césures qui traversent et le peuple d'Israël et celui des gentils, le plaçant à chaque étape en position de reste. « Ainsi, pour le temps présent [*en tō nun kaïrō,* formule technique pour le temps messianique], il y a un reste [*leīmma*], produit par grâce » (Rm 11, 5). Mais la césure ne sépare pas seulement la partie du tout (Rm 9, 6-8 : « Tous ceux d'Israël ne sont pas Israël. Et ce n'est pas parce qu'ils sont la semence d'Abraham qu'ils sont tous des fils ; mais "en Isaac ta semence sera appelée". Ce qui veut dire : les fils de la chair ne sont pas tous les fils de Dieu ; mais les fils de la promesse seront comptés comme semence »), elle sépare aussi le peuple du non-peuple (Rm 9, 25 : « Comme il est dit dans le livre d'Osée : "J'appellerai mon peuple un non-peuple, aimée une non-aimée" ; et là où j'avais dit "vous n'êtes pas mon peuple", ils seront appelés "fils du Dieu vivant" »). Et, finalement, le reste devient une véritable machine sotériologique permettant le salut de ce tout dont il marquait la division, la perte (Rm 11, 26 : « Tout Israël est sauvé »).

Dans le concept de reste, l'aporie du témoignage rejoint l'aporie messianique. De même que le reste d'Israël n'est ni tout le peuple, ni une partie de lui, mais signifie précisément l'impossibilité pour le tout et pour la partie de coïncider avec soi et l'un avec l'autre ; et de même que le temps messianique n'est ni un temps historique ni l'éternité, mais leur écart ; de même le reste d'Auschwitz – les témoins – n'est ni les morts ni les survivants, ni les naufragés ni les rescapés, mais ce qui reste entre eux.

4.13

Dans la mesure même où il définit le témoignage à travers le seul « musulman », le paradoxe de Levi contient l'unique réfutation possible de tous les arguments négationnistes.

Soit Auschwitz, comme ce dont il est impossible de témoigner ; et soit le « musulman » comme absolue impossibilité de témoigner : si le témoin témoigne pour le « musulman », s'il parvient à faire venir à la parole l'impossibilité de parler – si, donc, le musulman devient le témoin intégral –, alors le négationnisme est réfuté dans son principe même. Chez le musulman, l'impossibilité de témoigner n'est plus, en effet, une simple privation ; elle est devenue réelle, elle existe comme telle. Si le rescapé témoigne, non des chambres à gaz ou d'Auschwitz, mais pour le musulman, s'il parle seulement à partir d'une impossibilité de parler, alors son témoignage est indéniable. Auschwitz – ce dont il est impossible de témoigner – est prouvé de façon absolue et irréfutable.

Cela veut dire que ces thèses : « je témoigne pour le musulman », « le musulman est le témoin intégral » ne sont ni des jugements constatifs, ni des actes illocutoires, ni des énoncés au sens de Foucault ; elles articulent plutôt une possibilité de parole uniquement à travers une impossibilité, et ainsi marquent l'avoir-lieu d'une langue comme avènement d'une subjectivité.

4. 14

En 1987, un an après la mort de Primo Levi, Z. Ryn et S. Klodzinski publièrent dans les *Auschwitz-Hefte* la première étude consacrée au musulman. L'article – sous un titre éloquent : *Aux confins de la vie et de la mort – Une étude du phénomène du musulman dans le camp de concentration* – rassemble quatre-vingt-neuf témoignages, presque tous d'anciens déportés d'Auschwitz, auxquels avait été soumis un questionnaire sur l'origine du terme, les caractères physiques et psychiques des musulmans, les circonstances conduisant au processus de « musulmanisation », l'attitude des autres détenus et des fonctionnaires à leur égard, leur mort et leurs chances de survie. Les témoignages réunis n'ajoutent rien d'essentiel à ce que l'on savait déjà. Excepté sur un point, qui nous importe grandement, car il semble remettre en question, sinon le témoignage même de Levi, du moins l'un de ses présupposés fondamentaux. La monographie comporte un chapitre (p. 121-124) intitulé *Ich war ein Musulmann,* « J'étais un musulman ». Il contient les témoignages de dix hommes qui ont survécu à la condition de musulman et s'efforcent à présent de nous la décrire.

Dans l'expression : *J'étais un musulman,* le paradoxe de Levi trouve sa formulation la plus extrême. Non seulement le musulman est le témoin intégral, mais voici qu'il parle et témoigne à la première personne. *Moi, celui qui parle, j'étais un musulman, c'est-à-dire celui qui ne peut en aucun cas parler* : il serait maintenant superflu de montrer en quoi cette formulation extrême ne contredit pas le paradoxe, mais au contraire le confirme en tout point. C'est donc à eux – aux musulmans – qu'il convient de laisser le dernier mot.

Ces jours où j'étais un musulman, comment les oublier ? J'étais faible, vidé, je mourais d'épuisement. Je voyais partout à manger. Je rêvais pain et soupe, mais je me réveillais avec une faim atroce. La portion de pain, les 50 grammes de margarine, les 50 grammes de confiture, les quatre pommes de terre cuites avec la peau que j'avais reçus le soir précédent étaient maintenant choses du passé. Le Kapo, *les détenus qui avaient une place quelconque jetaient les épluchures et parfois une pomme de terre entière, moi je les épiais, cherchais les épluchures dans les ordures pour les manger. Je les couvrais de confiture, c'était vraiment bon. Un porc n'en aurait pas voulu, moi si, et je mâchais jusqu'à sentir le sable craquer sous les dents...* (Lucjan Sobieraj.)

Personnellement j'ai été un musulman pendant une courte période. Je me souviens qu'après l'arrivée dans le Block je me suis effondré mentalement. Cela se manifestait ainsi : j'étais pris d'une apathie générale, rien ne m'intéressait, je ne réagissais plus ni aux stimuli externes ni aux internes, je ne me lavais plus, pas seulement par manque d'eau, mais même quand j'en avais l'occasion ; je ne sentais même plus la faim... (Feliksa Piekarska.)

Je suis un musulman. Je cherchais à éviter d'attraper une pneumonie comme les autres camarades, par cette posture caractéristique, penché en avant, les omoplates tendues au maximum, en me passant lentement, régulière-ment les mains sur le sternum. C'est comme ça que je me réchauffais quand les Allemands ne regardaient pas. Depuis ce moment, je rentre au camp sur les épaules de mes camarades. Mais des musulmans comme nous, il y en a de plus en plus... (Edward Sokòl.)

Moi aussi j'ai été un musulman, de 1942 à début 43. Je n'avais pas conscience d'en être un. Je crois que beaucoup de musulmans ne se rendaient pas compte qu'ils étaient entrés dans cette catégorie. Mais au moment du partage entre les détenus, on m'a mis dans le groupe des musulmans. Très souvent, c'était l'aspect physique des détenus qui leur valait d'être ins-crits dans ce groupe... (Jerzy Mostowsky.)

Celui qui n'a pas été un musulman un cer-tain temps ne peut imaginer à quel point les transformations psychiques qu'on subissait étaient profondes. On devenait tellement indif-férent à son sort qu'on ne voulait plus rien de personne et qu'on attendait tranquillement la mort. On n'avait plus ni la force ni l'envie de lutter pour survivre d'un jour à l'autre ; aujourd'hui suffisait, on se contentait de la ration et de ce qu'on trouvait dans les ordu-res... (Karol Talik.)

En général on peut dire qu'il y avait entre les musulmans exactement les mêmes différences qu'entre des hommes vivant dans des conditions normales, je veux dire des différences physiques et psychologiques. Les conditions de vie du Lager rendaient ces différences plus évidentes, et on assistait souvent à un renversement des rôles entre facteurs physiques et facteurs psychologiques... (Adolf Gawalewicz.)

J'avais eu un avant-goût de cet état. En cellule j'avais senti la vie me quitter : aucune des choses terrestres n'avait plus d'importance. Les fonctions corporelles s'affaiblissaient. Même la faim me tourmentait moins. J'éprouvais une étrange douceur, mais je n'avais plus la force de me lever de la paillasse, et, quand j'y parvenais, je devais m'appuyer aux murs pour aller jusqu'au seau... (Wlodzimierz Borkowski.)

J'ai vécu dans ma chair la forme de vie la plus atroce du Lager, l'horrible condition du musulman. J'ai été l'un des premiers musulmans, j'errais dans le camp comme un chien perdu, tout m'était égal pourvu que je survive un jour de plus. Je suis arrivé au Lager le 14 juin 1940, dans le premier convoi de la prison de Tarnow. [...] Après quelques difficultés, j'ai été affecté au Kommando Agriculture, *où j'ai travaillé jusqu'à l'automne de la même*

221

année au ramassage des pommes de terre, aux foins et au battage. Un jour, il y eut un incident dans le Kommando. Ils s'étaient aperçus que des civils extérieurs nous donnaient à manger. J'ai fini au bataillon disciplinaire, et là a commencé la tragédie de ma vie dans le camp. J'ai perdu mes forces et ma santé. Après deux ou trois jours de travail très dur, le Kapo *m'a transféré du bataillon disciplinaire au Kommando* Scierie. *Le travail y était moins dur, mais il fallait rester dehors toute la journée et cet automne-là fut très froid, sans cesse de la pluie mêlée de neige, le gel commençait déjà et nous n'avions que des vêtements de toile légère, un caleçon et une chemise, des sabots de bois sans chaussettes et sur la tête un béret de toile. Dans ces conditions, mal nourris, trempés et gelés tous les jours, nous ne pouvions guère échapper à la mort. [...] C'est à cette époque qu'a commencé la musulmanerie* [das Muselmanentum] *; elle a gagné toutes les équipes qui travaillaient dehors. Le musulman est méprisé par tous, même par ses camarades. [...] Ses sens s'émoussent, ce qui l'entoure lui devient complètement indifférent. Il ne peut plus parler de rien, ni même prier, il ne croit plus au ciel ni à l'enfer. Il ne pense plus à sa maison, plus à sa famille, plus à ses camarades.*

Presque tous les musulmans sont morts dans le camp, un tout petit pourcentage est parvenu à se sortir de cet état. La chance ou la provi-

222

dence a fait que quelques-uns ont été libérés.
Je peux donc raconter aujourd'hui comment
j'ai réussi à m'arracher à cette condition.

[...] À chaque pas on voyait des musulmans,
des figures malingres et crasseuses, la peau et
le visage noircis, le regard perdu, les yeux
caverneux, les vêtements usés, trempés, puants.
Ils avaient une démarche lente et chancelante,
inadaptée au rythme de la marche. [...] Ils ne
parlaient que de leurs souvenirs et de nourri-
ture : combien de morceaux de pommes de
terre il y avait dans la soupe de la veille, com-
bien de bouchées de viande, si le bouillon était
dense ou si ce n'était que de l'eau. [...] Les
lettres qui venaient de chez nous n'apportaient
aucun réconfort, on ne se faisait plus d'illu-
sions sur notre retour. On attendait anxieuse-
ment un paquet, pour pouvoir être rassasié au
moins une fois. On rêvait de fouiller dans les
poubelles de la cuisine pour se procurer des
restes de pain ou du marc de café.
Le musulman travaillait par inertie, ou plu-
tôt faisait semblant de travailler. Un exemple :
pendant le travail à la scierie, on cherchait des
scies moins coupantes, qu'on maniait sans dif-
ficulté, même si elles ne sciaient rien. Quelque-
fois nous faisions ainsi semblant toute une
journée, sans couper la moindre souche. Si
l'on devait redresser des clous, on frappait
toujours à côté, sur l'enclume. Mais il fallait
sans cesse faire attention à ce qu'on ne nous

223

voie pas, et même ça, ça nous fatiguait. Le musulman ne poursuivait aucun but, il faisait son travail sans y penser, se déplaçait sans y penser, rêvait seulement d'avoir une place dans la queue où il aurait de la soupe plus dense et en plus grande quantité. Les musulmans suivaient de près les gestes du chef cuisinier pour voir si, quand il plongeait la louche dans la casserole, il prenait la soupe au fond ou en surface. Ils mangeaient le plus vite possible et ne pensaient qu'à obtenir une seconde portion, mais cela n'arrivait jamais : la seconde portion, seulement ceux qui travaillaient plus et mieux y avaient droit, parce que le chef cuisinier avait de la considération pour eux. [...]

Les autres détenus évitaient les musulmans : on n'avait aucun sujet de conversation commun, parce que les musulmans fantasmaient sur la nourriture et ne parlaient que de ça. Les musulmans n'aimaient pas les « meilleurs » prisonniers, sauf s'ils pouvaient obtenir d'eux quelque chose à manger. Ils préféraient la compagnie de leurs semblables, parce qu'ainsi ils pouvaient facilement échanger du pain, du fromage ou une saucisse contre une cigarette ou autre chose à manger. Ils avaient peur d'aller à l'infirmerie, ils ne se disaient jamais malades, en général ils s'écroulaient soudain pendant le travail.

Je revois parfaitement les équipes qui revenaient du travail en rangs, cinq par cinq : les premiers marchaient au pas en suivant le rythme de l'orchestre, cinq rangs plus loin ils ne parvenaient déjà plus à tenir le pas, plus loin ils s'appuyaient les uns sur les autres, et dans les derniers rangs les quatre les plus forts portaient par les bras et les jambes le cinquième, mourant. [...]

Comme je l'ai déjà dit, en 1940 j'errais dans le camp comme un chien perdu, rêvant de me trouver au moins quelques épluchures de pommes de terre. Je cherchais à me glisser dans les fosses près de la scierie où on mettait les pommes de terre à fermenter pour en faire de la pâtée pour les porcs et les autres animaux. Mes camarades mangeaient des tranches de pommes de terre crues enduites de saccharine, qui au goût rappelaient un peu la poire. Chaque jour mon état empirait : j'eus des ulcérations aux jambes et je n'espérais plus survivre. J'attendais seulement un miracle, mais je n'avais plus assez de force pour me concentrer, ni assez de foi pour prier. [...]

J'étais dans cet état quand je vis qu'une commission, composée, je crois, de médecins SS, était entrée dans le Block après le dernier appel. Ils étaient trois ou quatre et ils s'intéressaient particulièrement aux musulmans. En plus des ampoules aux jambes, j'avais une excroissance sur la malléole de la taille d'un œuf. Pour cette raison ils me prescrivirent une opération et me transférèrent avec les autres au Block 9 (l'ex-Block 11). On reçut la même nourriture que les autres, mais on n'allait pas travailler et on pouvait se reposer toute la journée. Des médecins du camp nous rendirent visite, on m'opéra – je porte encore les traces de cette opération – et je me repris. On n'était pas obligé de se présenter à l'appel, il faisait chaud, on était bien, jusqu'au jour où sont arrivés les SS responsables du Block. Ils dirent que l'air était irrespirable et firent ouvrir toutes les fenêtres, on était en décembre 1940... Quelques minutes plus tard tout le monde tremblait de froid, alors ils nous firent courir dans la pièce pour nous réchauffer, jusqu'à ce que nous soyons tous couverts de sueur. Puis ils dirent : « assis », et plus personne ne bougea. La sueur refroidit et sécha, de nouveau nous avions froid. Alors : nouvelle course. Et ça dura toute la journée.

Étant donné la situation, j'ai décidé de partir de là, et, pendant la visite de contrôle, j'ai dit que j'étais guéri, que je me sentais bien, que je voulais travailler. Et c'est ce que j'ai fait. On me transféra au Block 10 (aujourd'hui le numéro 8). On me mit dans une chambre où il n'y avait que des nouveaux venus. [...] En tant qu'ancien détenu, je plaisais au Kapo, qui me montrait en exemple aux autres. [...] Par la suite je fus transféré au Kommando Agriculture, dans l'étable des vaches. Là aussi j'ai gagné la confiance de mes camarades et un supplément de nourriture, morceaux de betterave, sucre roux, soupe de la porcherie, lait en

226

quantité, avec en plus la chaleur de l'étable. Ça m'a remis d'aplomb, ça m'a sauvé de la musulmanerie. [...]

Ma vie de musulman s'est inscrite profondément dans ma mémoire : je me rappelle encore très bien cet incident dans le Kommando Scierie à l'automne 1940, je vois la scie, les souches empilées, les Blocks, les musulmans qui se réchauffent les uns les autres, leurs gestes. [...] Les derniers moments des musulmans ressemblaient tout à fait à ce qui est dit dans cette chanson du Lager :

Quoi de pire que le musulman ?
Il a le droit de vivre ?
Il est là pour qu'ils le piétinent,
le bousculent, le tabassent.
Il erre dans le camp comme un chien perdu.
Tous le repoussent, mais son salut
c'est le crématoire.
L'ambulance l'emporte !

(Bronislaw Goscinski.)

Residua desiderantur.

BIBLIOGRAPHIE

La bibliographie comprend seulement les ouvrages cités dans le texte. Les traductions françaises d'œuvres étrangères furent parfois modifiées, en accord avec l'auteur, pour se rapprocher de l'original.

Adorno, T. W.,
1. *Dialectique négative,* traduit de l'allemand par Gérard Coffin, Joëlle Masson, Olivier Masson, Alain Renaut et Dagmar Trousson, Payot, Paris, 1978.
2. *Minima moralia,* traduit de l'allemand par Éliane Kaufholz et Jean-René Ladmiral, Payot, Paris, 1983.
Agamben, G., *Le Langage et la Mort,* traduit de l'italien par Marilène Raiola, Bourgois, Paris, 1991.
Améry, J., *Par-delà le crime et le châtiment,* traduit de l'allemand par Françoise Wuilmart, Actes Sud, Arles, 1995.
Antelme, R., *L'Espèce humaine,* Gallimard, Paris, 1957.

Arendt, H.,

1. *Eichmann à Jérusalem,* traduit de l'anglais par Anne Guérin, Gallimard, Paris, 1966.

2. *Essays in Understanding,* Harcourt Brace, New York, 1993.

Aristote, *La Métaphysique,* tome I, traduit du grec par Jean Tricot, Paris, Vrin, 1981.

Bachmann, I., *Leçons de Francfort,* traduit de l'allemand par Elfie Poulain, Actes Sud, Arles, 1986.

Barth, K., *Kirchliche Dogmatik,* vol. 2, Zürich, 1948.

Benjamin, W., *Sens unique,* traduit de l'allemand par Jean Lacoste, Maurice Nadeau, Paris, 1978.

Benveniste, É.,

1. *Problèmes de linguistique générale, I,* Gallimard, Paris, 1966.

2. *Problèmes de linguistique générale, II,* Gallimard, Paris, 1974.

Bertelli, S., *Lex animata in terris,* in *La città e il sacro,* F. Cardini éd., Garzanti-Scheiwiller, Milan, 1994.

Bettelheim, B.,

1. *Survivre,* traduit de l'anglais par Théo Carlier, Laffont, Paris, 1979.

2. *La Forteresse vide,* traduit de l'anglais par Roland Humery, Gallimard, Paris, 1969.

3. *Le Cœur conscient,* traduit de l'anglais par Laure Casseau et Georges Liébert-Carreras, Laffont, Paris, 1972.

Bichat, X., *Recherches physiologiques sur la vie et la mort,* Marabout, Paris, 1973.

Binswanger, L.,

1. *Zur Phänomenologische Anthropologie,* Francke, Berne, 1947-1955.,

2. *Le Rêve et l'Existence,* présenté par Michel Foucault, Desclée de Brouwer, Paris, 1954.

Blanchot, M., *L'Entretien infini,* Gallimard, Paris, 1969.

Carpi, A., *Diario di Gusen,* Einaudi, Turin, 1993.

Chrysostome, J., *Sur l'incompréhensibilité de Dieu,* Cerf, Paris, 1970.

Derrida, J., *La Voix et le Phénomène,* P.U.F., Paris, 1967.

Des Pres, T., *The Survivor,* WSP, New York, 1977.

Felman, S., *À l'âge du témoignage,* in *Au sujet de Shoah,* collectif, Belin, Paris, 1990.

Foucault, M.,

1. *Il faut défendre la société,* Gallimard et Seuil, Paris, 1997.,

2. *L'Archéologie du savoir,* Gallimard, Paris, 1969.,

3. *Dits et écrits,* vol. 1, Gallimard, Paris, 1994.

Frontisi-Ducroux, F., *Du masque au visage,* Flammarion, Paris, 1995.

Hegel, G.W.F., *Cours d'esthétique,* vol. 3, traduit de l'allemand par Jean-Pierre Lefebvre et Veronika von Schenck, Aubier, Paris, 1995.

Heidegger, M.,
1. *Bremer und Freiburger Vorträge,* GA b. 79, Klostermann, Francfort, 1994.,
2. *Parmenides,* GA b. 54, Klostermann, Francfort, 1982.,
3. *Kant et le problème de la métaphysique,* traduit de l'allemand par Alphonse de Wael-hens et Walter Biemel, Gallimard, Paris, 1953.

Hilberg, R., *La Destruction des juifs d'Europe,* traduit de l'anglais par Marie-France de Paloméra et André Charpentier, Fayard, Paris, 1988.

Kant, E., *Critique de la raison pure,* traduit de l'allemand par A. Tremesaygues et B. Pacaud, P.U.F., Paris, 1944.

Keats, J., *Correspondance*, traduit de l'anglais par Lucien Wolff, Cahiers Libres, Paris, 1928.

Kerényi, K., *La Religion antique,* traduit de l'allemand par Y. Le Lay, Georg, Genève, 1957.

Kimura Bin, *Écrits de psychopathologie phé-noménologique,* traduit du japonais par Joël Bouderlique, P.U.F., Paris, 1992.

Kogon, E., *L'État SS,* traduction anonyme, Points Seuil, Paris, 1995.

Langbein, H.,
1. *Auschwitz. Zeugnisse und Berichte,* herausgegeben von H. G. Adler, H. Lang-

bein, E. Lingens-Reiner, Europäische Verlag, Hamburg, 1994.,

2. *Hommes et femmes à Auschwitz,* traduit de l'allemand par Denise Meunier, Fayard, Paris, 1975.,

Et aussi (avec Kogon, E. et Rückerl, A.) *Les Chambres à gaz secret d'État,* traduit de l'allemand par Henry Rollet, Minuit et Points Seuil, Paris, 1987.

Levi, P.,

1. *Conversazioni e interviste,* Einaudi, Turin, 1997.,

2. *Les Naufragés et les Rescapés,* traduit de l'italien par André Maugé, Gallimard, Paris, 1989.,

3. *Si c'est un homme,* traduit de l'italien par Martine Schruoffeneger, Julliard, Paris, 1987.,

4. *La Trêve,* traduit de l'italien par Emmanuelle Genevois-Joly, Grasset, Paris, 1966.,

5. *Le Métier des autres,* traduit de l'italien par Martine Schruoffeneger, Gallimard, Paris, 1992.,

6. *À une heure incertaine,* traduit de l'italien par Louis Bonalumi, Gallimard, Paris, 1997.

Levinas, E., *De l'évasion,* Fata Morgana, Montpellier, 1982.

Lewental, Z., *Gedenkbuch,* Hefte von Auschwitz, 1, Oswiecim, 1972.

Lyotard, J.-F., *Le Différend,* Minuit, Paris, 1983.

Manganelli, G., *La notte,* Adelphi, Milan, 1996.

Mauss, M., *Essai sur la nature et la fonction du sacrifice,* in *Œuvres,* vol. 1, Minuit, Paris, 1968.

Pessoa, F., *Obra em prosa, 1. Escritos intimos, cartas e paginas autobiograficas,* Europa-America, Mem Martins, s. d.

Rilke, R. M.,

1. *Les Carnets de Malte Laurids Brigge,* traduit de l'allemand par Claude David, Gallimard, Paris, 1991.,

2. *Le Livre de la pauvreté et de la mort,* in *Œuvres II, poésie,* traduit de l'allemand par Jacques Legrand, Seuil, Paris, 1972.

Ryn, Z., Klodzinski, S., *An der Grenze zwischen Leben und Tod – Eine Studie über die Erscheinung des « Muselmanns » im Konzentrationslager,* Auschwitz-Hefte, b. 1, Weinheim et Bâle, 1987.

Satta, S., *Il mistero del processo,* Adelphi, Milan, 1994.

Sereny, G. *Au fond des ténèbres,* traduit de l'anglais par Colette Audry, Denoël, 1983.

Sofsky, W., *L'Organisation de la terreur,* traduit de l'allemand par Olivier Mannoni, Calmann-Lévy, Paris, 1995.

Spinoza, B., *Abrégé de grammaire hébraïque,* traduit du latin par Joël Askénazi et Jocelyne Askénazi-Gerson, Vrin, Paris, 1968.

Tertullien, *Scorpiace,* Nardini, Florence, 1990.

TABLE

Avertissement 9

I. LE TÉMOIN 15
II. LE « MUSULMAN » 49
III. LA HONTE ou DU SUJET 113
IV. L'ARCHIVE ET LE TÉMOIGNAGE 179

Bibliographie 229

Collection dirigée par Lidia Breda

Déjà parus dans la même collection

Giorgio Agamben, *Stanze. Parole et fantasme dans la culture occidentale*

Giorgio Agamben, *Moyens sans fins*

Hannah Arendt, *Le Concept d'amour chez Augustin*

Erri De Luca, *Un nuage comme tapis*

Erri De Luca, *Alzaia*

Sigmund Freud-Stefan Zweig, *Correspondance*

Hans-Georg Gadamer, *L'Héritage de l'Europe*

Arthur Schnitzler-Stefan Zweig, *Correspondance*

Peter Sloterdijk, *Dans le même bateau*

Achevé d'imprimer en février 1999
sur presse Cameron
*par **Bussière Camedan Imprimeries***
à Saint-Amand-Montrond (Cher)

Dépôt légal : mars 1999.
N° d'impression : 990859/1.
Imprimé en France